OHSAMA BUNKO

# 「いいこと」がいっぱい起こる! ブッダの言葉

植西 聰



三笠書房

はじめに

# どんどん自分が変わっていく！ 心の大掃除《そうじ》

今、多くの人の心には「迷い」があります。

どう生きていくか、どう未来を切り開いていけばいいのか、迷っています。

そしてまた、多くの人の心には「いらだち」と「怒り」があります。

思うようにならない人生、イヤな出来事ばかりが押し寄せてくる世の中や職場、人間関係にいらだち、怒っています。

そんな**「迷い」を解決し、「いらだち」と「怒り」を鎮めてくれるのが、本書の「ブッダの言葉」**です。

**ブッダの言葉の本質は「思いやり」**であると思います。

人へのやさしい思いやり。

そして自分自身への、あたたかい思いやり。

世の中への思いやり。

貧しい人、恵まれない人への思いやりです。

**他人を思いやっていれば、人間関係でトラブルは起きません。**

**自分への思いやりがあれば、自己嫌悪に悩むことはありません。**

**世の中への思いやりがあれば、おのずから自分の生きる指針が見えてきます。**


発想の転換をしてほしいのです。

他人や自分のふがいなさに腹を立てるのではなく、「思いやりの心」で接していくのです。

世の中の出来事にいらだつのではなく、「思いやりの心」で生きていくのです。

そうするだけで、今までの不愉快な気持ちはスーッと消えていきます。

晴れ晴れとした、いい気持ちで、生きていけます。

人間関係も笑顔に満ちたものになります。

「ブッダの言葉」というと、古くさい、難しい、といった印象を持つ人もいるかもしれません。

しかし、本書でとりあげた言葉は、**実践的**で、**わかりやすい**ものばかりです。実際にブッダは、弟子たちに、とてもわかりやすい言葉で、人間の真理を教えていたのです。

ただ、仏教が発展するにつれ、後世の人たちが難しい仏教用語に翻訳していったのです。難しい言葉のまま、今の時代に伝わっています。

しかし、わかりやすい形で読み直してみれば、その言葉の奥深さやすばらしさを、もっと多くの人たちに知ってもらえるでしょう。

なお、**この本は、ブッダの死後、ブッダの言葉を生《なま》で伝えたとされる『ダンマパダ（真理の言葉）』を現代語訳にして、私なりに説いたもの**です。

したがって、現代に生きる人々にも、生きる知恵として役立つものと確信しています。

もくじ


はじめに――どんどん自分が変わっていく！
心の大掃除《そうじ》 3


## 第1章

## 「いつも前向きな人」に変われるお話
### ――最初は、お釈迦さまだって、苦労した！


この四つを大切にできるだけで、人生は上出来 16
人生は宝探しゲーム。で、すばらしい宝はどこにある？ 18
ずっとおいしい蜜をとり続けるために。
ミツバチに学ぶ、成長の黄金律 20
賢者が大切にする、「意外な人」 22
「噂《うわさ》」の真相――本当にすごい人は誰なのか？ 24
ちょっと不幸を感じたとき、愚者がすること。賢者がすること 26
この物差しで、「人生の充実度」を測ってみよう 28
〝恥ずかしい失敗〟を、大成功に変える法 30

お金に振り回されている人に贈る「心の安定剤」　32
やるべきか、やめるべきか……間違いのない判断基準はコレ！　34
幸せに〝一人勝ち〟はない！　みんな一緒に幸せになれます　36

## 第2章

## 「迷い」を捨てるヒント
### ——進むべき道がハッキリ見えた！

夢を叶える人が〝絶対に言わない言葉〟　40
子どもにバカにされる人　42
料理の解説をする人、料理をつくる人、徳を積んでいるのは……　44
「迷い」から、いつまでも抜けだせない人　46
特別な才能がなくても、これさえあれば何とかなる！　48
「いいこと」がやってくるスピードの法則　50
映画スターに学ぶ、ビッグな幸運を手に入れる極意　52
先人の知恵を学ぶのと同じくらい大切なこと　54

ハンデのある人のほうが強いワケ　56

第3章

# どんな時代も「生き抜く力」がつく秘訣

## ——心の筋肉をムキムキ、パワーアップ！

さすが元メダリスト！　こんなに断られても、めげません　60
心の筋トレで、意志を強くできます！　62
ほめられたとき、けなされたときこそ、大事なこと　64
世の中には、こんな残酷な面もあります　66
「身をほろぼす快楽」の中毒にならない秘訣　68
〝期待される人〟が、乗り越えなければならないこと　70
三百年続く、老舗《しにせ》の秘密　72
どこからくる？　「本物」だけが持つ、人を惹きつける力　74
コックさんが教える「サバイバル力」をつける法　76

第4章

## 「自分を大切にする」コツ
### ――生まれてきてよかったと思える〝素敵な私〟になる方法

「死ぬとき」に、後悔しないために…… 80
「自分が嫌い」という病気から解放される術 82
愚かな人の話し方 84
いざというとき強い人 86
人を惹きつける美しさを手に入れるには？ 88
自分を磨く一番の近道――お手本にすべき〝こんな人〟 90
脳と体の「若さを保つ特効薬」 92

第5章

## 人に「喜びを与える」って、そんなに重要？
### ――ためしてみたら、気持ちよかった！

あの世でも、幸せに満たされる方法 96

貧しさに関係なく、幸せになる方法　98
〝落ち込んでいる人〟を元気づけるベストな方法　100
心がカラッと軽くなる考え方　102
〝分かち愛〟を持っていますか？　104
競争・勝負で、心をすり減らさないために　106
誰もが犯してしまいがちな罪――人の幸せを邪魔すること　108
〝命の重さ〟を感じるトレーニング　110
命をかけても守りたい！　強い絆《きずな》を築く方法　112

## 第6章

## なぜ、「賢者を友にするべき」なのか？
### ――人生に、こんなに「いいこと」が起こるからです！

賢人との出会いで、運命は、ここまで変わる！　116
一人で立ち向かうべきとき、誰かに頼るべきとき　118
この「魔法の言葉」を今日は何回言いましたか？　120

〝素敵なプレゼント〟を次々、もらう秘訣 122
マジナイや、占いに頼ると、怖い！ 124
品格を上げるには、「安心」「信頼」「楽しみ」という栄養が必要です 126
ほめ言葉で、心を大掃除しよう 128
今日が人生最期の日だとしたら、どう愛しますか？ 130

# 第7章
# 「怒らない！」
## ――ストレスを捨てれば、劇的に毎日がうまくいく！

イラッとしたら、素敵なアイデアは、ふってきません 134
お金では買えない〝最高のサービス〟を受ける秘訣 136
「悪いこと」の連鎖を止める〝心の法則〟 138
なぜ夫婦喧嘩《げんか》は、エスカレートするのか？ 140
〝欲張らない人が一番トクする〟法則 142
人生を変えるチャンスは、この瞬間！ 144

〝怒り〟の毒は、この三つの宝を損ないます　146
サラサラ流れる水のように、人間関係のモヤモヤを流すコツ　148

# 第8章 賢者の「考え方」をマスターする
## ――なるほど、ムダがない、隙《すき》がない！

どんな場面でも「おもしろい！」をつくりだせる人は無敵　152
九十九パーセント以上は、あなたの知らない世界　154
「向き・不向き」にこだわるのをやめると、世界が広がります　156
ムカッとくる一言には、この対処法　158
思いどおりにならないことに、なぜ「ありがとう」と言う？　160
驚くほど、人の心にあっさり入り込めるワザ　162
〝謙虚さ〟があれば、世界は、もっと心地よくなります　164
音痴も、立派な芸になります！　166

第9章

# 「気持ちを上手にコントロール」する！

## ――大人は、感情に振り回されません


三日坊主にさよなら！　いくらでも続けられる技術　170
〝感情のあばれ馬〟を制御する三つの心得　172
一人のときは、〝危ないもの〟に近寄らないのが鉄則　174
それでも欲望に負けそうになったら、すぐにコレ！　176
ゾウにも人にも〝一人の時間〟は重要なのです　178
〝好き・嫌い〟伝染病に、ご注意　180
深層心理が教えてくれる、あなたの改善点　182
「本当にやりたいこと」が見つかる〝自分ノート〟のすすめ　184

第10章

# 「賢い人、愚かな人」
## ——そのちょっとした違い

最高の結果をだすヒントは、常に〝目の前〟にある 188
劇的に学習スピードが速くなる、一番簡単な方法 190
こんな〝余計なプライド〟は、捨てたほうがラク 192
どうしたら禁煙できるのか？ やめられない人の性格とは？ 194
〝我慢しないで〟いい結果を手に入れる賢者のルール 196
外出前に、鏡パワーで好感度アップ 198
「できない」ことを認めると、さらに成長できます 200
この〝沈黙〟が、あの人の心を開く 202
幸せになる人が、絶対にやらない三つの悪業 204

イラスト 法嶋かよ

# 第1章

# 「いつも前向きな人」に変われるお話

## ——最初は、お釈迦さまだって、苦労した！

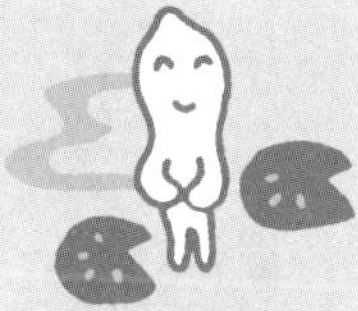

# この四つを大切にできるだけで、人生は上出来

**怠けて暮らしてはいけません。**
**悪い考えを抱いてはなりません。**
**心配事を増やしてはいけません。**
**愚《おろ》かな行ないに、なじんではいけません。**

幸運を招くのも、不幸な人生を歩むのも、この世に生きるあなた次第です。
運命は、生まれる前から決定しているわけではありません。
日々、あなたが何を考え、何を行なうかで決まるのです。つまり自由自在なのです。ですから、「私は不運にばかり見舞われる。これからも『いいこと』なん

て起こらない」などと思うのなら、まずその〝間違った考え〟を捨てましょう。投げやりになって、幸せになるための努力を怠ければ、心配事をさらに抱えるでしょう。そんな余裕のない貧しい考えは、あなたの心から慈悲心を奪い、自分の利益しか考えないさらに貧しい心を生むでしょう。貧しい心からは、貧しいものしか生まれません。本書で心を豊かにしていきましょう。

**あなたは、あなたが思うよりもずっと期待できる人間です。**

まず、そう知るだけで、運命は大きく好転します。そして次の四つのことを試してほしいのです。

**＊楽観的に物事を見る。**

**＊コツコツと努力を続ける。**

**＊苦しいときこそ、感謝を心がける。**

**＊健康にマイナスになることをしない。**

本書では、**思考グセを変える具体的な方法**をお伝えしていきます。運勢は必ず、よい方向へ向かうでしょう。

## ◎「自分はダメじゃない」と気づく。

# 人生は宝探しゲーム。で、すばらしい宝はどこにある？

**花摘《つ》みの上手な人は、美しい花だけを摘んでいくものです。賢い人は「よい言葉」のみを、自分のものとします。「悪い言葉」をひろい集める必要はありません。**

グチ、悪口、ネガティブな話題が聞こえても、同調してはいけません。

「悪い言葉」に同調してしまえば、その人と同様に、働くことが億劫《おっくう》になったり、将来への不安が湧いてきたりするものです。

「感謝を知らない気の毒な人だ」と遠巻きにしていれば、悪影響を受けずにすみます。

逆に、前向きでポジティブな「よい言葉」は、**「そうですね。私もそう思います」**と、積極的に同調して受け入れましょう。

あなたの気持ちもポジティブに保てるようになるからです。

日々、テレビや新聞、雑誌から、洪水のように押し寄せる不安を煽《あお》る「悪い言葉」を、すべてシャットアウトするのは、無理でしょう。

でも、だからといって嘆き、あきらめることはありません。

そんな玉石混交の現世でも、最高の人生を送る知恵をブッダは教えてくれます。

花摘みの上手な人が、見頃の花、色あせた花、これから咲く花を見分けて、一番美しい花だけを摘むように、「よい言葉」だけを聞くように心がけることが大切だと、ブッダは語ります。

幸せを喜ぶ言葉、感謝の言葉、明るい未来を信じる言葉を摘みましょう。

そして明るい言葉だけを口にして、会話に美しい花を咲かせるのです。

辛く悲しいことに引っ張られるのが人間の性《さが》です。だからこそ、明るい言葉に意識を向ける必要があるのです。

**◎「よい言葉」だけを聞く。**

# ずっとおいしい蜜をとり続けるために。ミツバチに学ぶ、成長の黄金律

**ミツバチは、花を傷つけることなく、蜜をとっていきます。**
**賢者もまた、相手を傷つけることなく、相手の長所を自分のものとします。**

どんな人にも、必ず「いいところ」があります。

賢者は、他人の「いいところ」だけを上手に吸収し、自分の成長に役立てます。

たとえば、すばらしいアイデアをだせるようになりたいと思ったら、すごいアイデアマンを見つけて、その人が**どんな本を読み、どんな映画や音楽に興味を持ち、どんな人とつき合っているのか、**じっくり観察します。

さらに、そのアイデアマンに自分から積極的に**質問**して、いいアイデアをだす方法を教えてもらい、それを学びとるのです。

ただし、相手をだましてノウハウを盗んだり、裏切って相手の人脈を自分のものにしたりするようなことは、絶対にしません。

相手をだし抜き、相手の居場所を奪うようなことをすれば、その因果は、必ず自分自身にはね返ってくるからです。

もし、ミツバチが、蜜さえとれればいいとばかりに花を傷つけ、枯れさせたなら、二度と、蜜はとれなくなるでしょう。

花を傷つけたら、損をするのは自分なのです。

また、ミツバチは、花の受粉も手伝います。それが翌年また花を咲かせるという自然界の循環を生んでいます。

**得た分を、相手に与えてはじめて、物事はうまく回るようにできています。**

相手を傷つけず、相手に利益を与えつつ、相手の「いいところ」を学びとっていきたいものです。

**◎人の「いいところ」を真似する。**

# 賢者が大切にする、「意外な人」

**賢い人は、**
**自分の欠点を、しっかり指摘してくれる聡明な人を歓迎します。**
**その人は、隠れた才能を引きだしてくれるのですから。**

「その提案は、ここを見落としている」「あなたのスキルは、ここが今ひとつだ」と、欠点を率直に指摘してくれる親しい人を、あなたはどう扱いますか。

愚かな人は、腹を立てて、その人を遠くへ追い払います。

賢者は、**「よい点に気づかせてもらった。これからもずっとそばにいて、適切なアドバイスをしてもらえないか」**と、その人を大切にします。

なぜ、相手は厳しいことを言うのか？　相手の身になって考えてみましょう。

それは、傷つけてやろうとか、バカにしてやろうという意地悪な気持ちからではない場合がほとんどです。

「このままでは、あの人は成長しない。ここでもうひと踏ん張りすれば、もっとすばらしい結果が得られるはずだ」と、その人の成功を親身に考えてくれているからです。

期待していない人には、わざわざ欠点を挙げ連ねて、人間関係をギクシャクさせるリスクは冒さないもの。厳しく言うのは、それだけ相手を思う気持ちが大きいのです。

親が子どもに口うるさい理由も、わかるでしょう。

本当に賢い人は、そのあたりの相手の心情を理解できるので、**納得できない場合でも、「指摘してくれてありがとう」と素直に頭を下げられる**のです。

心中で感謝するだけでもいいのです。何か、見えてくることがあるはずです。

**◎欠点を指摘してくれる人を、大切にする。**

# 「噂《うわさ》」の真相
# ――本当にすごい人は誰なのか？

**花の香りは、吹く風の向きに逆らって流れてはいきません。しかし賢者の香りは、風に逆らってでも、広まっていきます。全方向に。**

すぐれたものの評判は、みずから「この商品はすごい」「私はすばらしい」などと宣伝して回らなくても、自然に広まっていくものです。

あるレストランは、何の宣伝もしていませんし、看板もだしていません。それでも、口コミでおいしいという評判が広まり、店内はいつも満員です。

「人の噂」とは、そういうものなのです。

たとえ、ほかの人に成果を横取りされ、ウソの悪評を流されようとも、真に力のある人、誠実な人の評判は、必ず広まります。

もし周りから高い評価を得たいのなら、自慢話をして回るよりも、実力を高めるための勉強に時間を費やすのが一番です。

**今やるべきことをコツコツこなして、実力を蓄え、確実に成果をだしていけば、「いい噂」は、自然と自分の後についてくるようになります。**

実力もないのに、身の丈に合わない大げさな自慢話をしていたら、そのうち「あの人は口先だけだ」と、悪い噂が立ちかねません。

周りによく見られることに執着すればするほど、現実は理想とかけ離れていきます。

賢者は、愚者が自慢話をする間に、目の前の一歩を、確実に踏みだしています。

◎賢者の噂は、自然に広がっていく。

# ちょっと不幸を感じたとき、愚者がすること。賢者がすること

**愚かな人は、自分と他人を比較して悔しがります。**
**賢者は、自分と他人を比較して励みにします。**

人は「他人」を気にする生き物です。
あの人と自分と、どちらが美しいのか?
ライバルと自分と、どちらが評価されているのか?
あの人と自分と、どちらがより幸せか?
そのように他人と自分を比べずには、いられないのです。
それが「人間の性」ですから、無理に比べるのをやめろとは言いません。

重要なのは、「自分のほうが負けている」と感じたときに、どうするかです。

たとえば、同期の同僚が自分より先に昇進したとき。

愚かな人は、「先を越された、悔しい！　自分はもうダメだ」と大騒ぎして、心を波立てます。

一方、賢い人は、波立った感情が、自分の利益にならないことを知っているので、心の平安を保つように心がけます。

では、どのように平静を保つのかというと、ライバルを祝福し、先を越された悔しさを「もっと頑張ろう」というエネルギーに変えるのです。

**どんなに悔しくて怒りたくなることがあっても、そのネガティブな感情のまま行動すれば、決して幸せな結果は招きません。**

他人と比べてしまう自分を、むやみに責める必要もありません。

ただ、比べたあとの感情に、責任を持つことが重要なのです。

いつでも心を前向きに、そしてフラットな状態にしていられるのが、賢者の証です。

**◎他人を自分の励みとする。**

# この物差しで、「人生の充実度」を測ってみよう

**眠れない人には、夜の時間がたつのが長く感じられます。**
**真理を知ろうとしない愚者には、**
**人生の時間がたつのが遅く感じられます。**

「時間の流れる速さ」には、人によって、違いがあります。
あなたは、日々どう感じていますか？
「楽しい」「おもしろい」と感じているときは、時間がたつのがとても速く感じられます。
それに比べ、「つまらない」「退屈」「面倒くさい」と感じていると、時間がた

つのがとても遅く感じられ、時計ばかり気になるものです。

「人生」も同じです。

いまこの一瞬を楽しんで、一生懸命生きる人は、一日があっという間にすぎ、毎晩、明日がくるのを楽しみに眠りにつくことができます。

これに対し、自分の人生に退屈している人は、家でも職場でも、時間がたつのが遅く感じられて仕方ありません。

たった一度の人生をめいっぱい楽しみたいのなら、そして人生の真理を知ろうと思うのなら、自分で「感動」を味わう工夫をしてみましょう。

もっとも簡単に「感動」を味わう方法は、今までやったことがないことに挑戦することです。

初めて経験することには何でも、発見と感動が満ちています。

失敗することもあるでしょうが、それもかけがえのない経験です。

**未知の経験一つひとつが積み重なって、深みと広がりのある充実した人生が織りあがるのです。**

**◎毎日一つは、新しいことをしてみる。**

# 〝恥ずかしい失敗〟を、大成功に変える法

**愚かな人は、みずから自分の気持ちを「暗く」します。**
**賢者は、みずから「明るく」しようと努めます。**

ある落語家が、寄席《よせ》の舞台から足を踏み外《はず》し、客席へ転げ落ちました。
彼は腰をさすりながら再び舞台へあがるなり、「どうも、ラクゴシャです」と、一言。
「落語家」と「落伍者」をかけたうまいシャレに、観客はドッと沸きました。
失敗に、ひどく落ち込んで気持ちを暗くするのは、愚かなことです。
何かを失ったり大勢の前で恥をかいたりすることを恐れるあまり、挑戦するこ

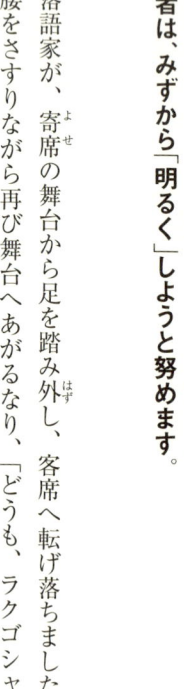

とから逃げるのは、もっと愚かです。たった一度の人生なのに、とてももったいないことです。

これに対して賢者は、その恥ずかしい失敗を、むしろ楽しもうとします。

失敗を笑い話に変えて、明るく語ることができます。

生きているかぎり、失敗を経験しない人などいません。

どこかでドジを踏むたびに、いちいち落ち込んでいたのでは、常に心を前向きに保つことは難しいでしょう。だからこそ、恥ずかしい失敗は明るい「笑い話」に変えてしまったほうがいいのです。

みんなを笑顔にできたなら、その失敗もムダではなかったということ。

もちろん失敗から学び、反省することは大切ですが、必要以上に気に病み、恥じることはありません。

**多く失敗する人ほど、多くを学ぶものです。**

誰でも失敗するものと割り切って、失敗を恐れる心を解放することが一番です。

**◎「何事も経験！」と、気持ちを明るくするよう努める。**

# お金に振り回されている人に贈る「心の安定剤」

**人は、〝自分に悪い結果をもたらす行動〟をとりがちです。〝自分によい結果をもたらす行動〟をとるのは、難しいものです。**

幸せになりたい、夢を実現させたい、満足のいく生き方をしたい、と誰もが思っています。

ところが、そのために〝**正しい行動**〟をする人は、意外に少ないのです。

むしろ、〝**自分を不幸にする行動**〟を、安易にとるものです。

たとえば、「儲かったお金を、自分のため以外にはつかわない」という行動。

確かに、幸せを手にするため、夢を実現するためには、お金は必要です。

ですが、自分のためだけにつかうと、お金は逃げていき、かえって夢の実現は遠のくことが多いのです。不思議と質の悪い商品をつかまされたり、相場より高い値段で買わされたり、結局、損するというように。

また、自分のためだけにお金をつかうあなたを周囲の人が見て、「あの人はがめつい」などと、やっかみ混じりの悪評を立てたりするので、結果的に幸せが遠ざかるのです。

では、〝正しい行動〟は？　それは、得たお金の一部を、お世話になった人へのお礼の品や、親孝行するための旅費、困っている友人の手助けをすることにつかうのです。収入の一割もつかえば十分でしょう。

**他人に無条件で与える行為が、本当の幸せをもたらします。**

自分が困った状況に陥れば他人から手を差し伸べられるようになったり、よい条件の仕事が次々と舞い込んだりして、結果的に自分の夢の実現も早まります。

心の豊かさとお金を、両方得られる幸運の呼び水となるのです。

## ◎得たものの一部を、人に与える。

# やるべきか、やめるべきか……間違いのない判断基準はコレ！

**もしもある行為をしたことを後悔するようだったら、はじめから、しないのがよいのです。あとで喜べるような行為をしなさい。**

賢者は、自分がどう行動するかを決めるとき、常に先のことを考えます。それは、損得勘定で動くということではありません。**将来、自分がとった行動を後悔しないかどうかを、一瞬、想像してみる**ということです。

それをしたことによって、数日後、数年後、あるいは死ぬときに後悔しそうだと思うなら、しないことです。

たとえば、仕事に行くのが億劫な日は誰にでもあるでしょう。

そのとき、一瞬、想像するのです。

会社に行かなかった場合のことを。

そして、今ここで怠け心に負けてしまったがために評判を落とし、それまで培ってきた信頼を失ったとしても後悔しないかどうかを考える。そして後悔しそうなら「サボらずに会社に行く」ということです。

また、ひどく腹の立つことがあったなら、感情のままに怒りをぶつけて後悔しないかどうか、考えます。

また、「やらないこと」で後悔しないかどうかも、考えてみることです。

「好きだという気持ちを伝えておけばよかった」「勇気をだしてチャレンジしておけばよかった」「もっと勉強しておけばよかった」などなど……。

迷ったときは、将来「やってよかった」と思えることをするのが、幸せに生きるための大原則です。

◎後悔する行為は、しない。

# 幸せに〝一人勝ち〟はない！みんな一緒に幸せになれます

**「自分の都合」に執着してはいけません。執着を捨てる喜びを知りなさい。**

「幸せになれますように」「私の夢が叶いますように」と、自分の幸せばかりを願って行動するのは、あまり賢い生き方ではありません。

家族や友人、日頃お世話になっている人、見知らぬ誰かの幸せを願って行動することが重要です。人のために動ける人が、幸せになるのです。

これを、買い物やビジネスに当てはめて考えると、よくわかるでしょう。

自社の利益ばかりを追求している会社の製品と、お客さまに喜んでいただくことを第一に考える会社の製品、どちらを買いたいと思うでしょうか。

裏を返せば、商談を成功させるコツは、いかにこのプロジェクトによって、相手方に大きな利益がもたらされるかを、しっかり伝えることにあります。

恋愛もそうです。

「あなたが好きです。だからつき合って、デートして」というのは、厳しい言い方をすれば、一方的な要求の押しつけです。

相手が喜ぶことをしてあげて、「あなたといることは楽しい」と感じさせることができてはじめて、相手はあなたに興味、好意を持つでしょう。

何も、自分の望みや利益に無頓着であれ、ということではありません。

ただ、**自分の都合を考えるのと同じくらい真剣に、相手の都合もきちんと考慮すれば、相手からも好かれる**のがこの世の法則です。

幸せは、決して早い者勝ちの、かぎりがあるものではありません。

「みんなの幸せを祈る」気持ちで、ビジネスや人づき合いをしていけば、大きな幸せを手に入れられます。

**◎「自分だけ」という執着を捨てる。**

# 第2章

## 「迷い」を捨てるヒント

——進むべき道がハッキリ見えた！

# 夢を叶える人が〝絶対に言わない言葉〟

**自分が成すべきことがあるならば、断固として実行しなさい。それが願いを叶える唯一の方法です。**

「才能さえあれば、ミュージシャンになれたのに」
「資金さえあれば、独立できたのに。とっておきのビジネスのアイデアがあるんだ。それを実現すれば、成功間違いなしなのに」
「もう一度学生に戻れたら、絶対にサボらないで勉強するのに。あのとき、遊んでばかりいたから、今自分の夢を果たせないでいる」
「……さえあれば」と言って夢をあきらめてしまう人がたくさんいます。

もし、「自分は、これをやりたい」という明確な夢があるならば、今からでも遅くはありません、夢に向かって行動すればいいのです。

「……さえあれば」と言う人は、自分に自信がないのでしょう。たとえ資金があっても、学生に戻れたとしても、夢に向かって行動を起こしはしません。また別の「……さえあれば」という言い訳を見つけだして、ウジウジするでしょう。

自分に自信を持ってください。

**あれこれ考える前に、断固として行動する習慣をつけてください。**

そうすれば、あなたに秘められた才能が開花します。才能がなければ成功できないような分野でも、努力を積んで名声を得ている人はたくさんいます。

無一文から事業を立ちあげて成功している実業家がいます。

六十歳をすぎてから資格を取得して独立開業している人もいます。

行動を起こせば、奇跡が起きます。

「今」が行動するときです。

## ◎「さえあれば」という言い訳をやめる。

# 子どもにバカにされる人

**口ではよいことを言いながら、**
**それを実行しない人は、運命を切り開けません。**
**言ったことを、ちゃんと実行できる人が幸運に恵まれます。**

真のリーダーは、必ずと言っていいほど行動的です。椅子に座って、ただ指図するだけの人ではありません。現場を駆け回り、先頭に立ってやって見せ、部下が挑戦する際はいつでもフォローできるように見守ります。ですから部下に尊敬され信頼されるのです。

愚かな上司は、「なぜ、こんな簡単なこともできないんだ！」と部下を叱るばかりで、「こんな簡単なこと」を、自分でやって見せません。それでは、部下は、上司を尊敬するどころか、口先ばかりだと、バカにするようになります。

部下にバカにされる上司が、チームをまとめ、大きな事業を成功させられるはずはないのです。

子どもに、「本を読むと頭がよくなるの。もっとたくさん本を読みなさい」と教えておきながら、お母さん自身がまったく本を読まないのでは、子どもはお母さんの言うことを聞かなくなるでしょう。

まず親自身が子どもの前で、たくさん本を読むことです。

子どもはその姿を見て、本に興味を持つのです。

恋人とケンカした友人を「許すことも大事だよ」と慰めるなら、あなたも、人を許すことができないとなりません。

**自分の言葉を実行すること。**

それが、信頼され、尊敬される人になる一番の方法です。

## ◎有言実行の人になる。

# 料理の解説をする人、料理をつくる人、徳を積んでいるのは……

**美しく咲く花でも、香りも実もつけないものがあります。口でもっともらしいことを言うから、その人が賢者なのではありません。身をもって実行しているから、賢者なのです。**

「もっともらしいことを言う人」が賢者なのではありません。口ベタで多くを語らなかったとしても、身をもって正しいことを行ない、現実社会で努力する人こそ賢者なのです。

たとえば、テレビの料理番組では、「このお店の料理は絶品！」と太鼓判を押す役割の料理評論家がよくでてきます。豊富な知識と経験を披露しながら、弁舌なめらかに、もっともらしく解説するので、見ているほうは、ついその評論家を賢者だと思ってしまいます。

しかし、真の賢者は、調理場でその料理をつくっている人なのです。

百の美しい言葉をならべても、腹をすかせている人を幸せにすることはできません。

**真の賢者とは、自ら手と足をつかって、人びとのために行動する人です。**

いくら口でよいことを言っていても、実践が伴わなければ、現実世界では意味がありません。

何もしないのと同じです。

花も、美しく咲くばかりでは、種《しゅ》がとだえてしまいます。

その美しさと香りで虫を引き寄せ、花粉を運ばせ、種を残したものだけが、また翌年も子孫を残すことができるのです。

## ◎アイデアを、実行する人になる。

# 「迷い」から、いつまでも抜けだせない人

**若くて力があるのに、怠けてばかりいる人は、何も成し遂げることができません。道を見いだすことが、できません。**

「自分がどんな仕事に向いているかわからない」と悩む若者が、多いようです。しかし、悩むばかりで「自分に向いた仕事」を探す努力を、ほとんどしていないに等しいのが実態です。

せいぜい就職情報誌をパラパラめくる程度です。

誰でも簡単に膨大な情報を手に入れられるこの情報化社会では、ともすると、

インターネットや雑誌でその職種に関する情報を見ただけで、すべてをわかったような気になってしまいがちです。

でも、**頭でわかったからといって、行動を起こさない人は、結局、何も成し遂げられないのです。**自分の目で見て肌で感じてはじめて、得られるもの、生みだせるものがあるのです。

本気で探そうと思うなら、現場に行って自分の目で見る、そこで働いている人の話を聞く、アルバイトをして実際に手伝わせてもらうなど、やれることはいくらでもあります。

行動することを怠ける人は、一生、机の前に座して、「自分の天職がわからない」と迷い続けるしかありません。

二十歳の人にとっても、五十歳の人にとっても、「今日」がこれからの人生で、一番若くエネルギーに溢れた日です。

「若さ」というエネルギーを、行動に注ぎ込めば、必ず道が開けます。

**◎若々しい力を存分に発揮する。**

# 特別な才能がなくても、これさえあれば何とかなる！

**怠けている人の中で、一人努め励む人がいれば、その他の者よりも先を行くでしょう。足の速い馬が、のろい馬を抜いていくようなものです。**

こんな昔話があります。

ある村で、日照りが何日も続き、すっかり田んぼが干あがってしまいました。村人たちは、雨乞いのために祈祷師《きとうし》を雇いました。

その祈祷師は、三日間祈り続けましたが、雨は降りませんでした。その祈祷師は、あきらめて村を去っていきました。

村人たちは、「あの祈祷師は腕が悪い」と悪口を言い、今度はもっと腕がいいと評判の祈祷師を呼ぶことにしました。

次に呼ばれた評判のいい祈祷師も、三日間祈りましたが、やはり雨は降りません。でも彼はあきらめずにもう三日祈りました。ところが雨は、まだ降りません。すると彼は、さらにまた三日祈り続けました。そして九日目、ようやく恵みの雨が降りました。

村人は、彼を「やはりあなたは偉大な祈祷師だ」とほめたたえ、たくさんの褒美を与えました。

実は、この評判のよい祈祷師には、何か特別な力があったわけではありません。彼は、ただ雨が降るまで祈り続けただけなのです。

この昔話は、現代人にも、大切な教訓を教えてくれます。「すぐにあきらめる」のでは、どんなに能力のある人でも、偉大な事業は成し遂げられません。

**成功するまで続ける人が、成功を手にできるのです。**

**◎偉大な成功者は、成功するまで続ける。**

# 「いいこと」がやってくるスピードの法則

**水が一滴ずつしたたり落ちて、ゆっくりと水瓶《かめ》を満たすように、「よい行ない」の見返りは、少し遅れてやってきます。待ちくたびれて、怠けてはいけません。最後には、大きな幸運で満たされます。**

あるマラソンランナーが言っていました。

「自己のベストタイムをたった一分縮めるためには、何日間もきつい練習を続けなければなりません。でも、タイムを悪くするのは簡単です。たった三日、練習を怠けただけで、タイムは五分落ちます」

あるピアニストも、言っています。

「毎日、一生懸命ピアノの練習をしていても、なかなか上達しません。しかし、三日練習をサボると、ガタッと下手になってしまいます」

人生にも、同じことが言えるのではないでしょうか。

バケツを朝露の滴《しずく》で満たすには、何時間もかかるように、「いい結果」とは、長い努力の末に、ようやくあらわれるものです。

こんなに仕事をしているのに。こんなに勉強しているのに。

こんなに努力しているのに報われない……そんな思いが湧いてきて心が折れそうになったら、この水滴の話を思いだして、気長に気楽に努力に励むことです。

**偉大な成功者たちは、途中で決して気を抜きませんでした。**

「いい結果」は、往々にして遅れてやってくるものです。

**◎果報は、忘れた頃にやってくる。**

# 映画スターに学ぶ、ビッグな幸運を手に入れる極意

**待っていても「果報（幸せ）」は得られません。**
**こちらから動かなければ「果報」は得られません。**

昔の映画俳優には、「スターの座は、待っていてもやってこない。自分からとりにいくものだ」という考えがあったそうです。

スポットライトは、スター俳優にしか当たりません。

カメラも、スター俳優を中心に撮影しますから、脇役は、上映される映画でもチラッと映るだけで、注目もされません。

そこで彼らは、自分から積極的に、スポットライトの中に入っていくのです。

主役の後ろのほうで必死に、カメラに映るように位置どるのです。

望むものを得るには、この昔の映画俳優のような、積極的な行動力をつけなければいけません。


いつかきっと、素敵な恋人が迎えにきてくれる。

そのうちきっと仕事で大抜擢《ばってき》される。

誰かが自分の秘められた才能に気づいて、この報われない不幸な状況から救いだしてくれる。

そんな都合のいいシンデレラストーリーは、まず起こらないのが現実です。

幸運をつかむには、行動が必要です。

宝くじだって、買わなければ当たりません。

素敵な出会いを望むなら、素敵な人に出会える場所に足を運ぶことです。

気になる人がいたら、興味を持たれるように美しくしたり、その人に声をかけたりして、アピールすることが必要です。

## ◎「果報」は、みずから、とりにいく。

# 先人の知恵を学ぶのと同じくらい大切なこと

**自分のやり方で、実際に試してみるから、独自の知恵が生まれるのです。ただボーッと言われるままに従っている人からは、何も生まれません。**

ひたすらマニュアルに忠実な、まじめな人。
時々、失敗もするけれど、自分なりの方法でチャレンジしてみて、独自のマニュアルをつくっていく人。
偉大な成功者になれるのは、常に後者です。
おそらく典型的な日本企業では、入社して間もないころはマニュアルどおりにきっちり動く人のほうが、重宝がられるでしょう。

一方、後者は、上司の言うことをあまり忠実に聞かず、勝手なことばかりしているととかく煙たがられるでしょう。

しかし、三年後、五年後の評価は逆転するかもしれません。

前者は、これまでにない斬新《ざんしん》な企画にチャレンジするという経験が浅く、リスク管理も決断力も磨かれていません。

一方、後者は、新しいことを次々手がけた経験から、カンも決断力も磨かれています。やがて従来のやり方にとらわれない新しい分野を開拓したり、これまでにないヒット商品をつくったり、効率的に業績をアップさせる方法を見つけたりするでしょう。

**失敗をしないと、新しい知恵も生まれないのです。**

変化の激しい現代に求められるのは、後者のタイプです。

## ◎本当の知恵は、みずからの経験から生まれる。

# ハンデのある人のほうが強いワケ

**体が大きい人が強いのではありません。**
**体の小さい人が弱いのでもありません。**
**「怠けたい」という誘惑に打ち勝った人が、強いのです。**

舞ノ海関という力士は、体がとても小さいというハンデがありましたが、様々な妙手を駆使して体の大きい力士を倒し、角界を沸かせました。

このように相撲《すもう》では、大きな人が、小さな人に負けることが、よくあります。体と体をぶつけ合う力勝負の格闘技ですから、体が大きいほうが圧倒的に有利であるように思えますが、そうではないのです。

ある相撲解説者が言っていました。

「体が大きい人は、往々にして、自分は強いという錯覚に陥りがちで、稽古《けいこ》を怠けてしまう。体の小さい人は、ハンデを補おうと必死に稽古する。だから、怠け者の大きな力士が、努力家の小さな力士に負けることが、しょっちゅうある」

人は、才能に恵まれて優位に立っていると、怠け心がチラリと顔をのぞかせ、努力がほどほどになってしまいがちです。

**逆に、弱点があるからこそ、斬新なワザや工夫が編みだされることが多々あります。**

学歴がないから、偏見のない目で評価してくれる人に出会えた。

病弱なので人の何倍も健康に気をつけていたら、結果的に百歳まで長生きできた、等々。要は、選択の問題なのです。

「ハンデがあるから無理だ」と考えて、あきらめることもできます。

「ハンデがあるから、できることがある」と前向きな発想で、チャレンジすることもできます。あなたは、どちらを選びますか？

## ◎ハンデは、「強み」になる。

# 第3章

# どんな時代も「生き抜く力」がつく秘訣

――心の筋肉をムキムキ、パワーアップ！

# さすが元メダリスト！
# こんなに断られても、めげません

**信念を持って、自分がするべきことに励んでいる人は、困難に遭《あ》っても、打ちひしがれることはありません。岩山が風に揺るがないように。**

「断られる」と、ガックリ落ち込む人がいます。
好きな相手に交際を断られて。
お客さんに商談を断られて。
しかし、断られたからといって、落ち込まないでほしいのです。
そこで**落ち込んでしまうから、「やっぱり自分はダメなんだ」と、どんどん自**

**分を過小評価していく「心のクセ」がつくのです。**

このネガティブな心のクセがつくと、運勢が弱まっていきます。チャレンジ精神を失って、今度は、相手に断られる前から、「どうせ無理に決まっている」と、あきらめるようになるのです。

人生では、「一度でうまくいく」ことなど滅多にありません。

昔、銀メダリストのオリンピック選手が、本を書きたくて出版社に企画を送ったそうですが、ことごとく断られたそうです。しかし、彼女はあきらめずに何度も送り続け、なんと五十一社目の挑戦で、出版が決まったそうです。

断られてからが本当の勝負です。

あきらめずに、一歩一歩、進んでほしいのです。

その積み重ねがやがて、「どんな困難があっても、自分はやり遂げられる」という岩山のような信念となります。

たとえ好きな人に振られても、自分の魅力をわかってくれる人はいると信じて、次の出会いを探せばいいのです。

## ◎信念を持って励む人になる。

# 心の筋トレで、意志を強くできます！

**自分自身に挑戦することによって、どんな激流がきても、押し流されることのない島のような「自分」をつくりあげなさい。**

いきなりナンバーワンを目指すよりも、「自己新記録」の更新を目指したほうが、「いい結果」をだせるようです。

日本一になる！　成果を十倍にする！　十キロやせる！　などと、勇ましいチャレンジ精神を発揮するのは、評価すべきですが、あまりに自分の実力からかけ離れた高い目標を掲げると、途中で挫折《ざせつ》する原因になります。

それよりも、**着実に「自己新記録」を達成していくほうが、後々の実りが大きいのです。**

たとえば、いつもは週に一件、契約をとっている人は、翌週は二件、再来週は三件、その次は四件というように、毎日、毎週、毎月と、自分を着実にレベルアップさせていきます。

そうすると、自己最高記録を更新するたびに、大きな喜びと達成感を得られます。

そしてそれは、次の目標へチャレンジするやる気をかき立ててくれ、好循環を生みます。

成功体験が一つずつ積み重なって、最終目標の実現が、より具体的になってくるのを感じれば、楽しくて挫折なんてしようがなくなります。

自分自身への挑戦——それが、揺るぎない島のような強い自分をつくりあげるのです。

## ◎ナンバーワンよりも、自己ベストの更新を目指す。

# ほめられたとき、けなされたときこそ、大事なこと

**「非難」に動じてはいけません。**
**心にもない「オベッカ」に、舞いあがってもいけません。**
**台風にも、ビクともしない岩のように。**

人は、「他人の言葉」に心を動かされやすいものです。
非難されれば、腹が立つでしょう。
チヤホヤと持ちあげられれば、浮かれるでしょう。
しかし、そんなふうに腹を立てたり舞いあがったりした状態で行動していたら、冷静な判断はできず、いい結果を招きません。

賢者は、他人から非難されようが、お世辞を言われようが、自分のやるべきことをしっかり見つめています。

よりよく生きていくには、他人の言葉に、むやみに心を乱されることのないよう、自分で自分をコントロールすることが必要です。

いわれのない非難を受けたときは、**「自分は間違ったことをしていない、自分は正しい道を進んでいる」**と自分をほめます。

怒って相手を言い負かしても、何の得にもなりません。

反対に他人がオベッカを言ってくるときには、**「本当にこれでいいのか。もっと努力すべきではないか？」**と、あえて厳しく自分に問いかけます。

そうすることで、浮き足立たないよう、心のバランスをとることができて、失敗をまぬかれます。

激情に流されず、必要以上に落ち込まない安定した心が、正しい判断を導きだしてくれます。

**◎「非難」にも、「賞賛」にも心を乱さない。**

# 世の中には、こんな残酷な面もあります

**人の噂を信じて、「いい人」の悪口を言う人は、辛い報いを受けなければなりません。風に逆らって小さなゴミを投げれば、投げた人のところへ戻ってくるように。**

「人の噂」は、怖いものです。

しかも、「悪い人」だけでなく「いい人」も、悪い噂を立てられやすい面があります。たとえば、美人でミスも少なくよく気がつくので、上司にかわいがられている女性がいたとします。するとそれをやっかむ人が、「彼女は上司と不倫し

ている」などと、根も葉もない噂を、でっちあげることがあります。

評判がいい人がいると、それに嫉妬して悪口を言いふらす人が、あらわれるのです。世の中には、そういう面もあるのです。

このカラクリをよく知る賢者は、悪口や噂を相手にしません。

悪口の対象にされている人より、悪口を言いふらしている人のほうが、むしろ悪人であることをわかっています。

ですが愚かな人は、悪い噂を信じ込んで、事実をよく知らないのに「あの人は悪い人なんだ」と決め込みます。

そして知りもしないのに、つられて悪口を言いふらしますが、そんなことをすれば、結局多くの人から嫌われ、辛い報いを受けるでしょう。

**噂よりも、自分の〝人を見る目〟を信じてください。**

あなたなりに相手の人となりを確かめることです。

他人の悪業に引きずられず、みずから悪業を犯さず、常に物事を正しく見極めることが大切です。

## ◎噂に惑わされない。

# 「身をほろぼす快楽」の中毒にならない秘訣

**目先の、つまらない快楽を捨て、もっと大きな喜びを求めなさい。そうすれば、もっと大きな存在に成長できます。**

「つまらない快楽」のために、「つまらない人生」を送ることになる人は、多いものです。

学生時代、試験前になると、勉強を怠けてゲームをしたり、マンガを読みたくなったりした経験はありませんか。

また、社会人の中には、任される仕事が大きくなればなるほど、お酒の量が増

えたり、ギャンブルに夢中になったりする人がいるようです。

この場合、ゲームもマンガもお酒もギャンブルも、「その場かぎりのつまらない快楽」です。たまの息抜きにはよくても、重要な案件を目前に抱え込んだ人がすべき行動としては、ふさわしくありません。

その場かぎりの快楽や、愛欲、歓楽にはまり込んでしまうと、中毒になります。やらずにはいられなくなるのです。

それは、目標に向かって前進しようとする人の、大きな妨げとなります。

**手軽な快楽に手を伸ばしたくなったときは、今、我慢すれば将来得られるであろうはずの、もっと「大きな喜び」を、できるだけ具体的に描くことです。**

今、勉強すれば、志望校のランクを、一つあげられるかもしれない。

今、プレッシャーを乗り越えれば、結果次第では、いずれもっと大きなプロジェクトを任せてもらえるかもしれない。

このような考えで、つまらない快楽に惑わされるのを防げるはずです。

## ◎道徳に外れた快楽を捨て、もっと大きな喜びを求める。

# 〝期待される人〟が、乗り越えなければならないこと

**信頼に反する行ないが、評判を汚します。**
**人の信頼には、応えていかなければなりません。**

人は期待を裏切られると、ガックリきます。

たとえば、グルメ雑誌で絶賛されていたレストランへ行ったのに、期待していたほどおいしくなかった場合は、ガッカリするでしょう。

おそらく客観的には、そのレストランの料理は平均点以上の味だったのでしょうが、期待が高かった分、評価が低くなったのでしょう。

九十五点以上を期待している人は、九十点では満足してくれません。

これは、人と人との信頼関係にも当てはまる法則です。

能力がある人ほど、周りから大きな期待を集めます。

期待が大きくなると、期待する分、少々の活躍では満足できなくなってしまいます。それに応えないと自分の評価を落とすことにもなります。

そこで期待に応えるために、二倍も三倍も努力する必要がでてきます。

人の期待に応えるというのは、並大抵のことではないのです。

中には、そのプレッシャーに負けてつぶれてしまう人もいます。

実業界でも芸能界でも、二代目の人に挫折する人が多いのは、そのためです。

でも、だからといって、期待されることを恐れないでください。

**プレッシャーをバネに換えて、より高い所へと飛躍するのが真の成功者です。**

大変ですが、そうした期待に応えるために頑張ることが、期待された人の使命です。

◎信頼に、背かない。

# 三百年続く、老舗《しにせ》の秘密

**真実を述べる人が、最後には勝ちます。**
**ウソを言う人は、結局は負けます。**

江戸時代から二百年も三百年も続く老舗の商家には、「正直な商売」を信念にしているところが多くあります。

**ウソが、もっとも商売をダメにする**ということを知っているからです。

タダ同然で仕入れた商品を、高級品と偽って、べらぼうに高い値段で売るなど、お客さんをだますような商売をしても、儲かるのはほんの一時期だけで、決して長くは続きません。

## 人を動かすのは信用です。

商売とは、信用を介して、商品とお金のやりとりをすることなのです。

「信頼」とは、商売だけでなく、すべての人間関係の元となるものです。

相手に気に入られるためとか、都合の悪いことをごまかすためにウソをついて、その場を丸く収めることもあるかもしれませんが、ウソとはいずれバレるもの。そしてバレたら最後、相手の信頼を一切失うでしょう。

一度失った信用をとり戻すのは簡単なことではありません。

儲けはわずかであっても、正直な商売をすることで、お客さんの信用もついてくるのです。

「ウソつきは泥棒の始まり」と言うように、いくら本人にその気はなくとも、世間では、ウソをついた人を「泥棒」と呼ぶのです。

常に正直であることが、人間関係の基本であり、長く繁栄する秘訣です。

◎「ウソつき」よりも「正直者」が勝ち残る。

# どこからくる？「本物」だけが持つ、人を惹きつける力

**成功者の身なりをしているからといって、真の成功者なのではありません。ウソをつき、わがままな人は、真の成功者ではありません。**

大ヒット商品がでると、次々とそれをマネた二番煎《せん》じ商品がでてきます。
しかし、どれもオリジナル商品ほどにはヒットしません。
それは、モノマネ商品には、制作者の情熱や信念が、こもっていないからです。
それどころか、「柳の下のドジョウで、儲けをわけてもらいたい」という、せせこましい根性や、成功を羨《うらや》む気持ちが入っています。

ですから、本物にはかなわないのです。

それは、人間も同じです。

あこがれの人のしゃべり方や、服装、食べるものまでマネる人がいます。目標とする人の考え方を学ぶのは無意味ではありませんが、見かけだけで魂のこもっていないモノマネでは、やはり世の関心を集めるのは無理でしょう。

本物は、モノマネからは生まれません。

人のモノマネで、ノーベル賞を受賞した人もいません。

**世界が求めるのは、オリジナリティーのある人です。**

オリジナリティーを高めるコツを、いくつかアドバイスしておきます。

**＊人のやっていないことに興味を持つ。**

**＊あまり観光地化されていない場所を、旅してみる。**

**＊流行を追うのではなく、忘れられたものを見返してみる。**

**＊自分の言葉で話す。**

## ◎「オリジナリティー」を磨く。

# コックさんが教える「サバイバル力」をつける法

**人から「どうの、こうの」と教えられる前に、自分で考え行動していきなさい。**

一流レストランの調理場では、ベテランのコックが新人に「この料理の味つけは、砂糖を大さじ一杯、塩は一つまみ……」などと、手とり足とり教えたりはしません。新人は、洗い場に回ってきた鍋《なべ》やフライパンに残っているソースを、自分の舌でなめて味を覚えていくのです。

とはいっても、なめただけでは、どの調味料をどれだけ配合したか、わかりません。それについては、**「自分で考える」**しかないのです。いろいろ試行錯誤してベテランコックの味と比べ、創意工夫を重ねることで、腕を磨いていくのです。

これは、どんな仕事にも当てはまる成功法則です。

人に教えてもらうことを前提にしていると、いつの間にか自分の頭で考えることのできない「マニュアル人間」になってしまうでしょう。

思考停止した人からは、真に必要とされる商品や斬新な発想、おもしろい企画は生まれません。

考える力をつければ、どこでも生きていけるようになります。

サバイバル力のある人になりたければ、次の四つの心得を実行しましょう。

**＊自分なりにあらゆる事実（データ）を集める。**
**＊推論し、予測を立てる。**
**＊推論を実際に試してみて確認（検証）する。**
**＊教わったとおりにこなすだけで満足せず、ほかの可能性を探る。**

**◎料理の味つけは、鍋をなめて覚えるもの。**

# 第4章

# 「自分を大切にする」コツ

## ――生まれてきてよかったと思える〝素敵な私〟になる方法

# 「死ぬとき」に、後悔しないために……

**高い地位を得るだけではダメなのです。**
**自分が「満足いく人生」を実現させるのが、大切です。**

地位も収入もあって、裕福な生活をしているから幸せ——とはかぎりません。
仕事で成功することが幸せになる道だと信じて、十数年も突き進んできて、ようやく思いどおりの結果を手にしたとき、胸にぽっかり穴が空いたような気持ちになったという女性経営者がいます。
「今から十数年前、好きな人からプロポーズされたのに、仕事を選んでしまったのです。当時は、仕事に生きるには、妻をやっている暇などない、独身でいるべきだという考えがありました。

でも、今思えば、私は間違っていたんだと思います。

仕事の成功も、女性としての幸せも、両方求めればよかったと思います」

確かに、そのとおりなのです。

夢を一つ叶えるために、もう一つの夢をあきらめるべきではありません。

もっと欲張って、いくつもの夢を追い求めればいいのです。

**すべてを手に入れる方法は、本当にないのか？** 探してみましょう。

人が死ぬ前に後悔することで一番多いのは、「あれをやっておけば、よかった……」ということです。

「何かをしたこと」ではなく、「しなかったこと」なのです。

すべての夢にチャレンジしてこそ、満足のいく人生が送れます。

夢を一つもあきらめないことで、〝やり残したこと〟のない人生を、送ることができます。

**◎自分自身が「満足いく人生」を、送る。**

# 「自分が嫌い」という病気から解放される術

**もっと自分を大切にしなさい。**

**自分を大切にできない人は、滅んでいきます。**


劣等感にとらわれて、「自分のことが嫌い」と言う人がいます。

口べタな自分が嫌い。

三流大学をでている自分が嫌い。

スタイルの悪い自分が嫌い。

けれど裏を返せば、本当は、自分のことが好きだからこそ、人より劣っているところや、平均点以下の部分が、気になってしまうのです。

好きだからこそ、「この弱点さえなければ、自分は完璧なのに悲しい、悔しい」と劣等感を感じるのです。

しかし、「自分が好き」なのであれば、もっと自分を大切にしてあげるべきでしょう。そうでないと、いつまでも悲しく辛い気持ちで生きていかなければなりません。

**「自分を大切にする」とは、劣っている点、平均点以下の部分も含めて、自分を好きになることです。**

「口ベタでもいいんだよ。口ベタも個性の一つだからね」

「三流大学だけど、楽しくすごせたじゃない。思わぬ才能が見つかったし」

と、笑って言えるようになりましょう。

そんなふうに、劣ったところも含めて自分に自信を持てば、どんどん笑顔が増えていくでしょう。

**◎自分を大切にする。**

# 愚かな人の話し方

**「これは私が成し遂げたことです」**

**こう言って、威張り、高慢になるのは愚かです。**

**賢者は威張りません。**


本当に偉大な事業を成し遂げた人は、それを自慢することはしません。

その偉業を人にたたえられ、ほめられたとしても、「私一人で成し遂げたことではありません。たくさんの方の協力があったからこその結果です」と、周りの人に感謝する謙虚さを決して忘れません。

自慢話を、ほとんどの人は不快に受け止めるものです。

その人は本当のことを言っているのだろうか？　誇張しすぎでは？　威張り散らしてばかりで、人に慕われるはずがない——そんな悪い印象を持たずにはいられません。

それがわからずに自慢話ばかりしている人は、愚かな人です。

人に尊敬される人は、次の三つのことを常に意識しています。

**＊「お陰様で」という感謝の気持ちを忘れない。**

**＊自分がほめられたら、仲間を立てる。**

**＊いつも謙虚な気持ちでいる。**

他者のお陰だと「人を立てる」ことで、結果的にあなたの評判が高まるのです。

つまりそれは、「自分を大切にする」ことにつながるのです。

## ◎人を立てる。

# いざというとき強い人

**深い湖が澄んで、清らかであるように、**
**賢者の心はいつも静かです。**
**言葉づかいも静かです。行ないも静かです。**

本当に実力のある人は、むやみに目立とうとはしません。普段は、同僚、友人たちの後ろのほうに引っ込んで、おとなしくしています。そして、いざというときのために自分を磨き、力を蓄えているものです。

そういう人は、上辺は深い海のように穏やかですが、心中では情熱を燃やしています。ですから言葉は少なくても、存在感はあります。

ゆったり構えているのに、実は忙しそうに駆け回っている人よりも、効率的に多くの物事を進めていたりするものです。

**波一つない湖面のように落ち着いた心でいると、様々なことが見えてきます。**

自分をとり巻く状況、周りにいる人の気持ちの揺らぎ、自分がその場で担うべき役割など、物事をいい方向へ進めるためにするべきことが、見えてきます。

ですから、チャンスが来たときやピンチのときに、的確に力を発揮でき、大活躍できるのです。

逆にいつも大声で賑やかに振る舞い、八面六臂《はちめんろっぴ》であちこち飛び回るようにしていながら、いざ危機に陥ると、シュンと静かになってしまう人がいます。

人の本当の力がわかるのは、「いざというとき」です。

ここ一番のときに、どう行動し、どう決断するかに、人の真価があらわれます。

チャンスやピンチのときに、力を発揮できるよう、普段は静かに力をためておきましょう。

## ◎いざというときに備えて、力をためる。

# 人を惹きつける美しさを手に入れるには？

**清い心を持ちなさい。清い行ないを心がけなさい。それが美しい身なりとなります。**

あるモデルさんの言葉です。

「お金をかけていい服を着れば、きれいに見えるのは当たり前。誰にだってできるわ。しかもそれは、**お金がないと実現しない美しさであって、幸せに生きることには、必ずしも直結しない。**

スーパーで買った一着千円の服でも、センスよく着こなして人目を惹きつけられるのが、本当のセレブなの。そのためには、心を美しくすることが大事よ。行ないも大事ね。

美しい雰囲気は、清らかな内面からでるから」

内面の清らかさは、造形の美しさをしのぐのです。

人を惹きつける美しさは、日頃の行ないによってつくられます。

人に慈悲深く接したり、人のためを思ってボランティア活動に参加したり寄付したり、社会貢献をするのもいいでしょう。

心が清らかであれば、物の扱いも自然と丁寧になりますので、動作の一つひとつが、人を心地よくさせる美しさへと変わっていきます。

食事にしても、貪《むさぼ》らず、感謝して必要な分だけを食べるので、太ることもなく清潔感あるスタイルを保てるでしょう。

心を美しく保つことほど、体を美しく磨きあげる「美容法」はありません。

心のすさんだ人が、いくら飾りたてても、心おだやかな人の澄んだ瞳、邪気のない表情、柔らかくあたたかい雰囲気には、かないません。

◎「清い心と清い行ない」が、美しい身なりとなる。

# 自分を磨く一番の近道――お手本にすべき〝こんな人〟

**他人の悪い行ないを見たときは、それを真似てはいけません。**
**他人のよい行ないを見たときは、それを真似なさい。**

悲しいことに、世の中には、人をだましてお金を得ようとする人がいます。自分のミスを知らないと言い張ったり、他人のせいにしたり、他人の不利益によって利益を得ようとする人がいるものです。

そういう人を見て、あなたは何を思うでしょうか。

「うまいことを考えるな。今度自分がミスしたらマネよう」などと考えるなら、とても愚かなことです。

そんな当たり前のことを、するわけがないと思うかもしれませんが、その当たり前のことが、できていない人が多いのです。

あなたも思い当たりませんか？　上司がやっているから、自分もいいだろう、みんながやっているから、これくらいいいだろうとマネてしまったことを。

悪い行ないをすると、自分に返ってくるのです。

また、人の行動は、心も支配します。

悪い行ないをすれば、心も、悪へと流されていってしまいます。

どうせマネるのなら、よい行ないをマネたほうがいいのです。

人に親切にし、励まし、ほめ、幸せを一緒になって喜ぶ、真摯《しんし》に仕事にとり組むなど、尊敬できる人と感じたら、同じように自分もやってみるのです。

**よい行ないは、心を磨きます。**

あたたかい心が生まれます。ポジティブな気持ちを、いつも持っていられるようになるのです。

## ◎「よいこと」を真似て、「悪いこと」をマネない。

# 脳と体の「若さを保つ特効薬」

**学ぶ意欲のない人は、老いるのが早いものです。**
**まるで、牛のように余計な肉ばかり増えますが、知恵は増えません。**
**学ぶ意欲に溢れた人は、いつまでも若々しくいられます。**

実年齢よりも、十歳も二十歳も若く見える人がいます。
彼らの共通点は、仕事に打ち込む一方で、プライベートな時間を上手に利用して、英会話や資格試験といった、自分のスキルをアップするための勉強をしていることです。
その**「学ぶ意欲」**が、若々しさを保つ秘訣なのです。

学ぶことを楽しんでいる人の瞳は、子どものようにキラキラと輝き、肌もツヤツヤと健康的で、表情はいつも好奇心に満ち溢れています。

実際に、脳細胞も増えるようですから、学ぶことは健康法でもあるのです。

忙しくて学ぶ時間がとれない人もいるでしょう。

しかし、時間は与えられるものではなく、みずから「つくりだすもの」です。

朝、三十分早起きするとか、夜寝る前の三十分だけ勉強するとか、短時間であっても毎日コツコツと続ければ、かなりの時間になります。

三年続ければ、その道のエキスパートになることも夢ではありません。

また、勉強時間をとることで、逆に仕事や遊びにも集中力がでてメリハリがつくものです。

「継続は力なり」、です。**三日坊主でも、何度も繰り返せばいいのです。**

社会人の勉強は、「焦らない、無理しない」がモットーです。

学ぶことは、知識を得られるうえに、いつまでも人を若々しくさせてくれる一石二鳥の自分磨き法なのです。

## ◎よく学ぶ人は、いつまでも若々しい。

# 第5章

# 人に「喜びを与える」って、そんなに重要？

## ——ためしてみたら、気持ちよかった！

# あの世でも、幸せに満たされる方法

**人のために、よいことをすれば、満足感に満ち溢れます。**

**現世においても、来世においても、歓喜に溢れた生活を送れます。**


接客業で、優秀な成績をあげる店員さんに共通の性格があります。

それは、「サービス精神が旺盛《おうせい》」であることです。

優れた店員さんは、「売り上げをあげること」よりも、**「どうしたらお客さんに喜んでもらえるだろう」**と考えます。

なぜなら、お客さんを幸せにすることが、自分自身の仕事の満足感につながること、長期的には自分の給与などに返ってくることが、わかっているからです。

では、どうすれば「お客さんのために、よいこと」ができるのでしょうか？

たとえば、「値引きすれば、喜んでもらえるはず」と考え、とにかく安い商品を提供したとしましょう。

しかし、お客さんが「値段は高くても、品質のいいものが欲しい」と考えていたとしたら、それはお客さんのための行動にはなっていません。

努力しても商売がうまくいかない場合には、こんなふうに、自分がいいと思うことと、相手がいいと思うことに、ズレがあるはずです。

「人のためにいいこと」をするのは、そういう点で難しいのです。

こういったすれ違いを避けるには、相手のライフスタイルをよく観察する必要があるでしょう。

そして相手の話をよく聞き、真のニーズをつかむことです。

相手の立場に立って考えることができる人は、本当に人を満足させることができます。

### ◎話をよく聞き、相手のニーズをつかむ。

# 貧しさに関係なく、幸せになる方法

**人から頼まれごとをされたときは、貧しい中から、与えられるものを与えなさい。天から恩恵を与えられるでしょう。**

昔、ある貧しい家族がありました。
食べるものを買うお金にさえ、不自由するほどの貧しさでした。
しかしその家族は、とてもとても幸せでした。なぜなら、人に「いいこと」があれば、一緒になって喜んであげられる「賢者の心」を持っていたからです。
父親が仕事先でお客さんに感謝されたという話を聞けば、母親も子どもたちも自分のことのように喜びます。子どもが「めったに見られない美しい鳥を見た」と喜べば、父も母も一緒になって喜びます。ご近所でおめでたいことがあったときは、駆けつけていきます。なけなしのお金をはたいてお祝いを贈り、手をとり合って喜ぶのです。

ですから、貧しくても、辛いと感じることはありませんでした。

いつも笑顔が満ちていました。

「貧しさ」は、不幸に結びつきません。

**喜ばしいことがあった人に、嫌味を言ったり、嫉妬したりするような心の貧しい人が、不幸なのです。**

そんな人は、どれだけお金があっても幸せになれません。

幸せは分かち合い、不運には助け合う。それが当たり前にできる人は、どんな状況でも、心豊かでいられるのです。

とくに「愛情」と「思いやり」の溢れる行為はよい因縁となり、健康や幸運といった恩恵となって返ってくるのです。

◎**一緒に、喜んであげる。**

# 〃落ち込んでいる人〃を元気づけるベストな方法

**周りの人たちが暗く沈んだ気持ちでいても、自分だけは、悩まずに、大いに明るく振る舞おう。それが、悩める周りの人たちに、元気を与えるのだから。**

周囲の人が落ち込んでいるときは、一緒になって落ち込むのではなく、自分だけは明るく振る舞って、みんなを元気づけられる人になってください。

人の気持ちは伝染します。

たとえば、企業のプロジェクトがうまくいっていないとき、自然と、経営者のいらだちは社員に伝わり、何となく社内全体が重い雰囲気に包まれるものです。

実際に景気の悪いお店に行ってみれば、すぐにわかります。売り上げの悪いショップの店員は、暗くけだるそうな顔をしています。

でも、そんな顔をしていれば、さらに仕事はうまくいかなくなります。

店員が暗く、活気のない店に、好んでくるお客さんがいるでしょうか？

笑顔のないところには、いいアイデアもでてこないものです。

あなたが経営者であっても、アルバイトの立場であっても、常に精一杯に明るく振る舞うことです。

そうすれば、必ず周囲にあなたの明るさが伝染します。社内全体が活気をとり戻せば、お客さんも戻ってくるでしょう。

**太陽のように、ヒマワリのように、場の雰囲気を明るく変えることのできる人は、周囲から信頼を集めます。**

実は、それこそが、リーダーに必要な条件なのです。

ビッグスマイルを心がけていれば、きっと大きなことを成し遂げられる人になるでしょう。

## ◎周りの気分に、自分の感情まで左右されない。

# 心がカラッと軽くなる考え方

**愚かな人は、「私には子がいる」と言って子どものことであれこれ悩み、「財産がある」と言って威張ります。**

**けれど、そもそも自分自身の体でさえ、自分のものではないのです。**

**財産や子どもも、自分のものではありません。**

お金も、恋人も、子どもも、この世には、「自分のもの」と言えるようなものは、何一つありません。
お金をどれだけ貯め込んでも、死ぬときはすべて置いていくことになります。
あなたの肉体でさえ、天からの借り物、「自分のもの」とは言えません。

ましてや恋人や子どもを、自分の所有物のように扱ってはいけません。

彼らには彼らの意思があり、立場があり、考え方があります。

夫だから、妻だからといって相手を束縛することも、自分の思いどおりに動かすこともできません。

恋人や子どもに対しては、自主性を尊重してあげたいものです。

「子どもなら、恋人なら、こうしてくれて当然」などと、相手の意思や時間を奪わないことです。

逆に、自分が相手のためにできることはないかと考えることで、おもしろいことが起こりはじめます。


人は、「自分のもの」と信じ込んでいたものを失ったときに、大きなショックを受けます。**「自分のもの」という思い込み、執着こそが、苦しみを生むのです。**

所有欲や執着心から解放されれば、ぐっと穏やかな心でいられます。ムダな焼きもちや、嫉妬もなくなります。

## ◎すべては天からの「借り物」と感謝する。

# 〝分かち愛〟を持っていますか？

**もの惜しみをする人は、天国へは行けません。**
**人と分かち合う喜びを知る人は、幸せになれます。**

昔むかし、腹をすかせた旅人が、ある村の裕福そうな家の前を通りかかりました。

彼は門前に立ち、「私はもう何日もものを食べていません。少しでいいので、食べるものを分けてもらえませんか」と家の人に頼みました。

ところが、「おまえに分ける食べ物などない」と追い払われてしまいました。

次に旅人は、いかにも貧しそうな家を訪ね、同じお願いをしました。

　すると、貧しい家の人たちは旅人を快く迎え入れ、少ない食料を旅人に分け与え、ひと晩泊めてくれました。

　実は、この旅人は、旅の途中の神さまでした。

　神さまはのちに、裕福な家の人たちに病気を与え、貧しい家の人たちには富を与えたのです。

　さて、この昔話が教えてくれるのは、**「人と分かち合うこと」**に喜びを感じなさいということです。

　ものを惜しんで、困っている人にさえ手を差し伸べられないような人は、いくら今、たくさんのお金があっても、決して心が満たされることはないでしょう。

なぜなら、今あるものより、今手元にないもののほうが気になってしまい、心が休まるときがないからです。

　ため込むよりも、分かち合うこと、人に与えることを優先すると、それがよい因縁となり、寂しい人生を送ることもなくなります。

**◎自分の持つものの中から、分け与える。**

# 競争・勝負で、心をすり減らさないために

**勝負からは、うらみが生まれます。**
**敗れた人は、寝ても覚めても、苦しみにもだえます。**
**勝負をすることを捨てれば、心に安らぎが訪れます。**

人生の要所要所で、私たちはライバルに出会います。学業成績を競う相手、スポーツの勝敗を争う相手、仕事のライバル、恋のライバルもいるでしょう。現実社会では、勝負を避けることはできません。

もしあなたが勝者になった場合、敗者に対して威張ってみせたり、バカにしたりしてはいけません。そうすると余計なうらみを買って、足元をすくわれかねま

せん。

もし敗者になった場合は、素直に相手の強さを認め、次こそ勝つためにどうすればいいかを考えるのが得策でしょう。

ウジウジと負け惜しみを言うのは、不毛なことです。

ラグビーには「ノーサイド」という言葉があります。

試合終了のホイッスルが鳴ったら、敵も味方も、勝者も敗者もなく、お互いの健闘をたたえ合おうという考え方です。

勝負がついたら、ノーサイド。

大切なことは、自分が勝っても負けても、心を平静に保つことです。

賢者は、勝利の余韻や敗北の悔しさで、感情を乱したりはしないのです。

また、もっと心が成長すると、**自分の力を試すための場・自分自身との戦いとして、勝負をとらえられるようになるのです。**

心が平穏であれば、勝っても負けても、いい経験を得ることができると思います。

◎勝っても負けても、心を乱さない。

# 誰もが犯してしまいがちな罪
## ——人の幸せを邪魔すること

**生きとし生けるものは、すべて、幸せを望んでいます。**
**他人にイヤな思いをさせて喜んでいる人は、**
**多くの人からうらまれて、うらみの鎖からまぬかれることはできません。**
**たとえ自分の幸せを求めていても、苦しみが訪れます。**

気づかないうちに人にイヤな思いをさせてしまうことは、よくあるものです。

そして、誰もがついやってしまう行為が、**人の話をさえぎること。**

人が話をしている途中で「ああ、それは違うよ」と話の腰を折ったり、「ちょっと待ってください。そこは私が説明します」と割り込んだりして、話の主導権を奪うのです。

この行為の底には、「自分のほうが相手より、話術は上だ。内容のある話ができる」「自分のほうが正しい」という心理があります。

ただ自分では、そう意識していないので平然と割り込めるのです。

中には、相手がイヤな顔をするのを喜んで、得意げになっていたりします。

また、あからさまに人を傷つけたり、失敗をなすりつけたり、お金をだましとったりして、他人にイヤな思いをさせる人もいます。

しかし、人にイヤな思いをさせて喜べば、それが悪い因縁となって、必ず天罰がくだります。

ですから、ひどいことをされたからといって、あなたが個人的に仕返しをして懲《こ》らしめる必要はありません。

懲らしめれば、それはまた新たな悪因をつくるだけです。

どんな悪人に対しても、たんたんと善行だけを積んでいくことです。

## ◎人をイヤな気分にさせない。

# 〝命の重さ〟を感じるトレーニング

**むやみに生き物を殺してはいけません。**

**命あるものを、大切にかわいがりなさい。**

**そうすれば、心を乱されることがなくなります。**


命を大切にしていますか。

人はもちろん、動物も花も、木も虫も、生きとし生けるものすべてを、大切にする気持ちがある人や、他人にそういう行為をしない人は、救われます。

自分以外の命を大切にすることは、自分の命を大切にすることと同じです。

まだ十代で自殺をはかるような少年少女たちは、自分や他人の命を大切にする気持ちが希薄である傾向が強いといわれています。

道ばたに咲いている花を踏みつけても平気だとか、他人がケガをしてもその痛みを推し量ることができないとか、中には、犬や猫のひげや毛を引っ張っていじめる子どももいます。命の大切さを知らないから、自分もほかの生き物の命も粗末に扱ってしまうのです。

そんな子どもたちへのカウンセリングの一つに、花を育てさせることで、生き物の命を大切に扱う心を教える方法があります。

それは同時に、**自分の命の大切さを知ること**でもあります。

もし、自分に存在価値がないと感じたり、生きるのが辛くなったりしたら、花を育てるといいでしょう。日の当たる場所に鉢を置き、水や肥料をやりましょう。手をかけなければ元気に育たないことを実感すれば、誰でも何かに生かされていることに気づくはずです。何者かに愛情をかけられて、生きているということがわかるのです。

## ◎命あるものを、かわいがる。

# 命をかけても守りたい！強い絆《きずな》を築く方法

**すべては「心」次第なのです。**

**「善良な心」で結びつけば、強い人間関係に恵まれます。**

昔、戦争が起こりました。

一方はとても豊かな国でした。

お金にものを言わせて、十万の軍隊を雇い入れました。

もう一方は、貧しい国でした。

傭兵《ようへい》を雇うお金などありません。ですから、昔なじみの家来たちだけを引き連れて、戦場に行くしかありませんでした。一万にも満たない家来の数でしたので、貧しい国に、勝ち目はないように思われました。

しかし勝利したのは、人数の少ない貧しい国だったのです。

なぜ、このような結果になったのでしょう？

お金で雇われた傭兵たちには、国王への忠誠心などありませんでした。

自分の命が危なくなれば、とっとと逃げだす人たちでしかなかったのです。

しかし貧しい国の家来たちは、忠誠心によって国王と深く結びついていたのです。命をかけてでも国を守ろうという強い覚悟があったのです。

**「心」で結ばれた人間関係は、パワーを生みます。**

友人関係でも、仕事の関係でも、重視すべきは〝相手との心のつながり〟です。

日頃、どれだけの人と利害関係抜きでつき合っているかが重要です。誠実で善良であることを、日々のコミュニケーションで示すことが大切です。

ビジネスだから、契約だから……と割り切らないほうが、最終的には、いい結果につながるものです。

◎「よい心」で、人とつき合う。

# 第6章

# なぜ、「賢者を友にするべき」なのか？

## ——人生に、こんなに「いいこと」が起こるからです！

# 賢人との出会いで、運命は、ここまで変わる！

**愚かな人と、ともにすごせば、心をひどく乱されます。**

**それは仇敵《きゅうてき》と一緒に暮らすのと同じくらい、辛いことです。**

**聡明でまじめに生活している人をパートナーにすれば、自分自身にも、幸福が訪れます。**

ビジネスにしても、プライベートにしても、「よきパートナー」に恵まれることは、ものすごく大切です。
というのも、人生を幸せにしてくれる幸運は、**「人との出会い」**によってもたらされるケースが多いからです。

確かに、自分一人で人生を切り開いていく人もいるでしょう。しかし、大多数の成功者の側には、「よきパートナー」がいるものなのです。

戦国時代に名をあげた武将には、よき軍師がいました。

一代で大企業を育てあげた実業家にも、よき参謀がいました。

偉大な作家には、よき編集者がついています。

迷ったときの相談相手、資金援助してくれる人、キーパーソンを紹介してくれる人、自分を信じて応援してくれる人など、たくさんのよきパートナーに囲まれていれば、途中で挫折することなく夢に向かって進んでいける確率も高まります。

では、どうすれば「よきパートナー」を得られるのでしょうか。

それには、自分の人間性を高めることです。

目的のために、人をだまし、自分の利益ばかりを優先させるような人の力になりたいと思う人はいません。真摯に、誠実に、夢を追い求める人だから応援したくなるのです。

## ◎聡明な人をパートナーにする。

# 一人で立ち向かうべきとき、誰かに頼るべきとき

**旅にでるときは、自分よりも優れた者と行きなさい。もし自分よりも優れた人や、同じくらいの人がいなかったら、キッパリと自分一人で行きなさい。愚かな人と一緒に行ってはいけません。**

仕事の関係者や友人、夫や妻、趣味を一緒に楽しむ仲間など、それぞれの場面にそれぞれのパートナーがいるでしょう。

なかでも人生の伴侶は、慎重に選ばなければなりません。気が合い、深く信頼できる相手であることは大切ですが、もう一つ、重視したい点があります。

それは、「自分より少しでも優れた人」であることです。

自分より優れた人の刺激を常に受けることで、「もっと頑張ろう。もっと学びたい」というやる気が湧いてきます。そしてまた、目標とする人が身近にいることで、進む方向を見失わずにいられます。

しかし、もし、優れた人が見つからなかったら、どうすればいいのでしょう？

「自分より劣る人間であっても、道連れにすればいい」という考え方もあります。しかし、これは、いい考えではありません。

**時間やお金にルーズな相手の愚かさの影響を受けて、自分まで愚かな怠け者になるからです。**

むしろ一人で精進したほうが、生産的でしょう。

よい連れを得るには、人を見る目が必要です。

たくさんの人と触れ合うなかで、眼力を磨いて、最高のパートナーを探すことです。

## ◎人生は、賢い人とともに歩む。

# この「魔法の言葉」を今日は何回言いましたか？

**「清らかな、謙虚な気持ち」で話し、行動しなさい。そうすれば人間関係で、たくさんの「いいこと」に恵まれます。常に、よい影があなたにつき従うように。**

あなたは今日、何度「ありがとう」と言ったでしょう？
**気持ちは、態度にあらわれるものです。**
豊かな気持ちが、豊かな行ないを生みだすのです。
たくさんの人たちの助けがあって、今の自分がある。
一つひとつの成功は、自分の力だけでなく、周りの協力があって成し遂げられたものである。

そんな謙虚な気持ちに溢れている人は、誰に対しても腰が低く、まるで口グセのように「ありがとう」という言葉をたくさんつかうものです。

これは、それだけ他人の協力や気遣いに気づける力があるということです。

たとえば、「昨日は、残業お疲れさま」「お陰さまで」と労《ねぎら》ってくれる人は、あなたの頑張りを感じていてくれたのです。

誰でも親切にしたことに対して感謝の気持ちを返されたら、苦労が報われた思いがして、またその人を喜ばせてあげたいと思うでしょう。

こんな心遣いが行き交えば、お互いがたくさんの「いいこと」に恵まれます。

「清らかな謙虚な気持ち」で物事を見ると、人のやさしさや、多くの人の手を借りていることに気づきます。

「ありがとう」を頻繁に言うようにするほど、それがよく見えるようになります。

◎「ありがとう」を言う回数を、増やす。

# 〝素敵なプレゼント〟を次々、もらう秘訣

**ほんのちょっとしたことであっても、人が好意でしてくれたことを、無視してはいけません。人の好意に満足できる人は、心の安らぎを得られます。**

人が好意でしてくれたことには、どんなことにも「ありがとう」と、感謝の気持ちを言葉にして示すことが大切です。
たとえそれが、自分の望んでいたものと違っていたとしてもです。
そして「言葉」だけでなく、「態度」でも示してあげることが大切です。
たとえば、せっかく恋人がくれたアクセサリーを、「ありがとう」と笑顔で受

けとったにもかかわらず、一度も身につけなければ、恋人はガッカリするでしょう。もしそれが自分の好みではなかったとしても、一度は、つけた姿を見せてあげることです。

上司に仕事の相談をして、アドバイスをもらったならば、後日、アドバイスどおりに実践してみた結果を報告すると、好感度があがるでしょう。

贈り物にお菓子をいただいたなら、お礼を伝えるときに「ほどよい甘さで、とてもおいしかった」などと、味の感想を添えることです。

訪問先で出していただいたお茶には、必ず口をつけましょう。

**どんなに些細《ささい》なことであっても、相手は、あなたのために時間や労力を裂いてくれたのです。**

相手は、あなたが思うよりもずっと、その結果を気にしているものです。

たった一言でいいのです。

感謝の言葉に「態度」をプラスすることが、多くの人に好かれ、幸運を招く秘訣です。

**◎感謝の気持ちは、「言葉」と「態度」であらわす。**

# マジナイや、占いに頼ると、怖い！

**人は、恐怖にかられると、意味のないものやマジナイめいたものに頼りますが、それで心が安らかになることは、ありません。場合によっては、逆にたくさんの苦悩を味わう羽目になります。正しい「心のより所」をつくりなさい。正しい「心のより所」がある人は、安泰です。**

生きていれば、辛い経験もしなければなりません。悩み、迷い、不安に心が折れそうになったとき、人は、神仏やお守り、怪しげ

な呪術などに、すがりたくなるものです。

ですが、それでラクになると思うのは間違いです。何かに頼りたいという思いが、悪につけ入れられる原因となり、だまされたり状況を悪化させたりして、逆に苦しみを招きます。たとえば、病気になったときに、きちんとした医者にかからず、正しい生活をすることもなく、怪しげなマジナイなどに頼っていては、かえって健康を害して苦痛を味わう羽目になるでしょう。

ブッダは、正しい「心のより所」として八正道《はっしょうどう》を説きました。

これは、**「正しい見解」「正しい思い」「正しい言葉」「正しい行ない」「正しい生活」「正しい努力」「正しい心配り」「正しい心の落ち着き」**のことをいいます。

要は、現実社会に生きるかぎりは、現状を正しく判断し、物事を論理的に考えて、自分ができることを精一杯自分でしなさい、自分の良識を信じなさいということです。

正しい「心のより所」があると、心を強く保つことができます。怪しげな商品などにだまされることも、なくなります。

## ◎正しい「心のより所」をつくる。

# 品格を上げるには、「安心」「信頼」「楽しみ」という栄養が必要です

**心のより所がある人は、美しく成熟していきます。**
**心のより所がある人は、美しく老いていきます。**

年をとれば、肌の衰えや、足腰の弱りから逃れられる人はいません。
六十歳になれば、二十歳のようには、体は動きません。
肉体的な衰えはしょうがありませんが、**年を重ねるごとに「美しさ・気品・活力」を増していくことは可能です。**
そのヒントを三つあげておきましょう。

**＊プライベートで、一緒にいて安らげる人を持つ。**

**＊仕事で、信頼できる人を持つ。**

**＊趣味を、一緒に楽しめる人を持つ。**

この「安心」「信頼」「楽しみ」を分かち合える相手を持つことが、若さを保つために大切なのです。

人から美しさを奪う一番の理由は、「孤独感」です。いざというとき頼れる人がいないという不安は、若さを蝕《むしば》みます。

人から気品を奪うのは、「あの人は、自分をだますのではないか？　裏切るのではないか？」と人を疑う気持ちです。

人から活力を奪うのは、幸せを分かち合う相手、話をする相手がいないという寂しさです。

これらが欠けると、オシャレを楽しむ活力も気品も失い、あっという間に老けていきます。よき家族、よきパートナー、よき友人を持つことが大切です。

**◎心のより所がある人は、美しく年をとる。**

# ほめ言葉で、心を大掃除しよう

**重箱の隅をつつくようにして、他人の失敗を探し求める人は、心が汚れていきます。**

賢者は相手の長所を見つけ、それを盛大にほめてあげます。

しかし愚かな人は、重箱の隅をつつくようにして相手の欠点を探しだし、徹底的に非難します。

人をほめるのは、自分自身の心を清める行為です。

相手の、ほめられて喜ぶ顔を見れば、自分もうれしくなり、もっと人から好かれたい、もっと相手を喜ばせてあげたいと思えるものです。

また、**人に好かれていると実感できれば、自分自身の存在価値が感じられ、自己愛も高まるでしょう。**自己嫌悪することもありません。

会う人、会う人の長所を探してほめれば、心はいっそう清められていきます。

逆に、人の欠点を探すのは、自分の心を汚す行為です。

非難した相手の「イヤな顔」を見れば、自分は嫌われていることを実感せざるをえないでしょう。

そこでやめれば救われるのですが、愚かな人は、「どうせ自分は嫌われ者だ」とひねくれて、さらに相手のイヤがる行為を繰り返します。

この行為が、心の奥底の自己嫌悪感を強め、心は苦しみでいっぱいになります。

会う人、会う人の欠点を指摘し非難すれば、そのたびに、自分の心が汚れていくのです。

人から好かれる清い賢者になるか、嫌われ者の汚れた愚か者になるかは、自分自身が決めることです。

## ◎他人の失敗を、探し求めない。

# 今日が人生最期の日だとしたら、どう愛しますか？

**自分の命も、相手の命も、かぎりがあります。**
**そう思うことで「人を心から愛する」気持ちが生まれます。**

人は、「かぎりがあるもの」を、大切にします。
たとえば、休暇。「五日間の休暇がとれる」となったら、その五日間を有効につかおうとして、温泉旅行へ行こう、映画を三本立てで観よう、趣味に没頭しようなどと、いろいろと計画を練りたくなるはずです。
これがもし、「明日から、無期限にずっと休んでいい」となったらどうでしょう？　ずっと仕事に追われて忙しくしていた人ほど、何をしたらいいのかわからなくなって、毎日をぼんやりすごすことになるでしょう。

期限がないのですから、一日一日を有効につかおうなどとは考えないでしょう。

ある野球選手が、こんな話をしていました。

「選手生命にはかぎりがあります。体力が衰えれば、引退するしかありません。グラウンドに立てる時間にかぎりがあるからこそ、精いっぱい頑張って活躍したいと思います」と。

大切な人を愛する気持ちも、同じだと思うのです。

人を愛していられる時間にも、かぎりがあります。

人間は、いつか死を迎えます。

**いずれ相手も死に、自分も死にます。**

ですから賢者は、愛する人と一緒にいる時間を大切にしたいと思うのです。

しかし愚かな人は、命にかぎりがあることに気づかないため、大切な人と喧嘩《けんか》したり、相手をないがしろにしたりして、一緒にいる時間をムダにします。

## ◎「死ぬ運命」だからこそ、人は愛し合える。

# 第7章

# 「怒らない！」

## ――ストレスを捨てれば、劇的に毎日がうまくいく！

# イラッとしたら、素敵なアイデアは、ふってきません

**「怒鳴らない人」には、気持ちの安らぎがあります。「怒りの感情」から遠ざかっているからこそ、賢い知恵に恵まれます。**

天候不良のために飛行機が遅れるというアクシデントに遭ったとき、航空会社の係員をつかまえて、怒鳴りつけるお客さんを見かけました。

「何をノロノロしているんだ、何とか飛行機を出発させろ！　言い訳するな。何かいい方法を考えろ。こっちは客なんだぞ！」

旅程が狂ったいらだちを、係員にぶつけて解消しているのかもしれませんが、これはとても愚かなことです。

怒って怒鳴ることで、天気が変わり飛行機が飛ぶのでしょうか？　解決できることは、何一つないどころか、怒りに振り回され、貴重な時間と体力を浪費しているにすぎません。

賢い人は、心を落ち着かせ、怒りを鎮め、今自分にできる最善のことは何か考えることに頭を働かせます。

他の交通手段が利用できないか？　遅れることを連絡しておくべき相手は？　遅れた時間を調整するためにできることは？　今、空いた時間を一番有効に利用する方法は？

**怒りは、よい知恵を遠ざけます。**

アイデアは、荒れ狂う嵐の中には降りてきません。

穏やかな晴天のようにクリアな頭にしか、ふってこないのです。

うまくいかないときほど意識して、気持ちを落ち着かせる必要があります。

## ◎怒鳴っている暇があったら、時間を有効に使う。

# お金では買えない〝最高のサービス〟を受ける秘訣

**怒るのをやめなさい。**
**威張るのをやめなさい。**
**目に見えるものや、現象にこだわらないこと。**
**無一物となった人には、「いいこと」がたくさんあります。**

ある男性が行くレストランは、どこもサービスがよく、心から安らげる空間を演出してくれます。

店員はみな笑顔で迎え入れてくれるし、特別に親切に接してくれます。料理人たちも、気合いを入れて腕をふるってくれているのが、よくわかります。

彼はどこへ行っても、不思議なくらいに特別待遇を受けます。何も社会的地位が高いとか、よほどのお金持ちというわけではないのに、です。

ただ、彼は「相手をほめる」ことを忘れない人です。

お店に行くたびに、料理をほめ、サービスをほめます。

帰り際には「いい時間をすごせました。ありがとう」と、必ず感謝を伝えます。

ですから、彼は特別に扱われるのでしょう。

しかし、最近は「お客」という立場を勘違いしている人が少なくないようです。

「お金を払っているのだから、自分の要求にはすべて応えるのが当然だ」という態度で、ひどく横柄に振る舞ったりします。

そういうお客さんを、店側は決していい扱いはしません。

**自分を大切にしてくれる人には、同じ気持ちを返すのが、人間関係の法則です。**

怒らず、威張らず。

すべてをありがたく受けとることで、向こうから「いいこと」がやってくるようになります。

◎**威張らない人が、より親切にしてもらえる。**

# 「悪いこと」の連鎖を止める〝心の法則〟

**もし自分の行為が、不幸な結果をもたらしたとしても、怒ってはいけません。怒る以上の不幸など、この世には存在しないのですから。**

自分がとった行動によって不利益を被《こうむ》る結果になったり、思いがけず失敗に終わったりしたとき、悔しさや後悔から怒りが湧いてくることがあります。

たとえば、うっかりミスで、大きなトラブルを起こしてしまったとき。そして、酔った勢いで友人を傷つけることを言ってしまい、友情にヒビが入ったとき。

なぜあのとき、あんなことをやってしまったんだろう。今となっては自分の行動が理解できない……と、いくら過去の自分に憤りを感じても、その行動をなかったことには、できません。

怒りに心を乱されることほど、不幸なことはありません。

怒りに任せて周囲に八つ当たりしていては、何も解決しないどころか、そんな平静さを欠いた頭では解決策を見つけることも難しいでしょう。

賢い人は、怒りを捨てて、今できることに集中します。

心を落ち着けて考えれば、現状から抜けだす方法を必ず探しだせるからです。

**自分の失敗で問題が起こったときは、一度、鏡で自分の顔を確認してみるといいのです。**

怒りや後悔のあまり怖い顔をしていたら、ニコッと笑ってみましょう。

事態はそこから好転します。

◎怒るほどの不幸は、この世に存在しない。

# なぜ夫婦喧嘩《げんか》は、エスカレートするのか？

**大声で、人を怒鳴りつけてはいけません。**
**言葉に、あなたの苦痛をこめても、相手に伝わるわけではありません。**
**怒りを含んだもの言いは、相手を傷つけます。**
**傷ついた相手は、必ず大きな声で怒鳴り返してきます。**

恋人同士の喧嘩や夫婦喧嘩は、火がつくと、とどまることを知りません。
最初は、ほんの小さな行き違いが、どんどんエスカレートして、「もう僕たちの仲は終わりだ」「別れましょう」となることもザラです。
なぜ、そんなことになるのかといえば、「大きな声」をだすからです。

## 大声をだすほど、怒りは増幅します。

一人が大声をだせば、相手も負けじと大声で言い返します。それで感情的になって、収拾のつかない言い争いとなるのです。

また、人はちょっと立場が強くなると、下の者を怒鳴ることに抵抗がなくなります。上司は部下を怒鳴り、先生は生徒を怒鳴ります。しかし、いつも怒鳴ってばかりの上司がいる部署は、部下に団結力がなく、なかなか業績があがらないといいます。

賢い人は、どれだけ偉くなっても、頭にくることがあっても、常に穏やかな声で対処します。説得しようとして声に熱がこもりそうになれば、努めてやさしい声で話すようにします。そうしてはじめて、冷静に話し合えるのです。

それが「信頼に足る人物だ」と部下たちの信頼を得ます。

穏やかに話す人の周りには、同じ心を持つ人が集まります。すると心を乱されることも、少なくなるものです。

◎怒鳴らない。

# 〝欲張らない人が一番トクする〟法則

**分かち合う心があれば、怒りの感情は起こりません。**
**ケチケチするから、怒りに火がつくのです。**

すきやきを食べるとき、みんなで牛肉の奪い合いを始めたら、せっかくの御馳《ごち》走《そう》も台無しです。
「お前、おれの肉を食べただろう」「それは私の肉よ」などと言い争えば、おいしいものもまずくなります。
「これ食べて」「あなたこそ、食べなさいよ」と、たとえ一人に一口分しか行き渡らなかったとしても、たくさんの人と分かち合えば、おいしさは十倍にも二十倍にもなります。

**ケチケチしたことを考えているから、腹が立つことが増えるのです。**

すでに十分、持っているのに、自分の取り分が減ることをイヤがるクセがついている人ほど、いつもイライラして、常に不幸を感じているのです。

人の幸せを願う人は、常に心が穏やかです。

おいしいものがあれば、家族がにこやかにほおばる姿を思い浮かべてうれしくなります。

おもしろい映画を観たら友だちに教えてあげることを楽しみにし、眼下に広がる美しい風景を見れば、「いつか、大切な人をここに連れてこよう。きっと喜んでもらえるだろう」と、未来に思いを馳《は》せて幸せを感じます。

そういう心があるから、みんなと仲よく、幸せに生きていけます。

仕事も、自分の利益のためだけにあるのではありません。

みんなの幸せのためにも頑張ろうと思えば、職場の仲間たちとも、うまくやっていけます。

◎**ケチケチすれば、不幸が増える。**

# 人生を変えるチャンスは、この瞬間！

**以前、悪い行ないばかりしていた人は、よい行ないで償うことです。そうすれば、周りの人たちの心を明るくする人になれます。まるで、雲から姿をあらわした月のように。**

今は「みんなの嫌われ者」だとしても、考えを悔い改めることで、「好かれる人」に変わることは可能です。ですから、過去にどんな悪行をしたとしても、あきらめないでほしいのです。

ライバルの悪い噂を流し、面倒な仕事はすべて部下に押しつけ、手柄は自分がすべて横取りするようなことばかりしていた男性が、病気になって入院しました。

しかし、彼の入院中、誰も見舞いにきてくれないばかりか、不在中の仕事をフォローしてくれる同僚さえいなかったことで、彼は自分がどんなに嫌われているかがわかり、心を痛めました。

そして、その瞬間こそが、彼の人生を変えるチャンスとなりました。今までの悪行を償い、みんなに好かれる自分に変わるための努力を始めたのです。

賢者は、すみやかに自分の非を改めます。

彼は退院後、今までの自分を反面教師にして、人のためになることを何でもやりました。ライバルの優秀さを認め、同僚の頼みは快く引き受け、面倒な仕事を率先して担当し、部下が手柄を立てられるようバックアップしました。

もともと嫌われていたのですから、みんなの気持ちが変わるまでにはそれなりの時間がかかるでしょう。でも根気よく続ければ、報われる日が必ずきます。

誠意は必ず伝わります。

**人間は、深く反省し納得したことは、必ず変えられます。**習慣も、性格すらも、劇的に。すべては心がけ次第です。

## ◎過去を改め、今から善行を積む。

# 〝怒り〟の毒は、この三つの宝を損ないます

**「健康」は最大の宝です。**

**「信頼」できる相手は、最高の宝です。**

**「満足感」は最上の宝です。**


「怒りの感情」は、人生に様々な害を与えます。

**怒りは、「健康」を害します。**

怒りっぽい人ほど心臓病になりやすいという報告があります。血圧もあがり、心拍数も上昇します。免疫力だって落ちるでしょう。

**怒りは、「人間関係」も破壊します。**

怒りにかられて発した一言で、長年の友情にヒビが入ってしまうこともあります。夫婦関係を離婚に追いやることや、上司と部下の信頼関係を、一瞬にして崩すこともあります。

また、**怒りは、「心の満足」を奪います。**

怒りながら食事をすれば、どんなにおいしい料理も、まずくなります。

「人は、おかしいから笑うのではない。笑うから、おかしく思えてくるのだ」という有名な言葉がありますが、「怒り」にも同じ法則が当てはまります。

不満だから怒るのではなく、怒るからいっそう不満に思えてくるのです。

「健康」「信頼できる人」「満足感」は、最高の喜びです。

今あるすべてに、満足する習慣を心がけましょう。

完璧を求めるのをやめ、無いものねだりするのをやめて、感謝する習慣を持てば、怒りの感情に振り回されなくなります。

## ◎無いものねだりを、やめる。

# サラサラ流れる水のように、人間関係のモヤモヤを流すコツ

**「あの人は、私をののしった、傷つけた、私を負かした」と言う人は、永遠にうらみの感情から解放されません。**

**人から悪口を言われても、意地悪をされても、うらみを抱かないことです。「気にしない」をモットーとすることです。**

人の悩みの大半は、「人間関係」にまつわるものです。

友人との間に誤解が生じた。職場の上司と意見が食い違ってギクシャクした。同僚たちと気が合わない。恋人とすれ違ってばかり。親が、子が、姑が、ご近所さんが……。

人間関係の悩みがこじれると、人生を左右しかねません。

サラリーマンが会社を辞める理由の大半は、職場の人間関係が原因だといわれ、心の病気になる人も少なくありません。

そんなふうに、人間関係の問題を深刻化させないコツは、「〇〇された」という被害者意識を、手放すことです。

イヤなことはすべて、水に流すのです。

人と交流するかぎり、摩擦が生じるのは避けられません。

「交流」とは、「交わって流す」と書くように、どんどん交わり、どんどん流していくことなのです。交わるたびに、いちいちぶつかっていたら、流れを押しとどめてしまい、「交流」になりません。

**悪口を言われても、聞き流すことです。相手にする必要はありません。**

図太くおおらかに、相手はまだ人間ができていないのだと、笑い飛ばしてしまいましょう。思いを「流す」ことは、あなたの心に余計なストレスをためないための、一番効果的な方法です。

## ◎悪口を言われても、気にしない。

# 第8章

# 賢者の「考え方」をマスターする

## ——なるほど、ムダがない、隙《すき》がない！

# どんな場面でも「おもしろい！」をつくりだせる人は無敵

**しっかりとした屋根のある家は、雨もりなどしません。同じように「しっかりした心」を持つ人には、悪い考えなど、入り込みません。**

「現状に、不平不満を言う」のは簡単です。誰にでもできます。そして多くの人は、不平不満を口にします。

同じように、誰にでもできるのに、ほとんどの人が実行していないことがあります。

何だと思いますか？

それは、**「不平不満を言わずに、現状を楽しむ」**こと。

たとえば、子どもは、何でもないことにも楽しみを見つけます。

大人がイヤだと思うことさえも、楽しみに変える達人です。

せっかくの旅行中に雨がふって大人がガッカリしているそばで、子どもは水たまりに長靴をボチャンとつっ込んで、キャーキャー楽しく遊んでいます。

大人の目には草ボウボウの荒れ地も、子どもの目には、知らない虫や植物がいっぱいの不思議の宝庫だと映ります。

**「どんな状況も楽しんでやる」**という、しっかりした心構えがあれば、つまらないとか、イライラする状況下でさえも、気持ちを切り替えて楽しむことができるようになります。

たとえば満員電車の中でイライラしてきたら、周りの人にあだ名をつけてみるなど、現状を楽しもうとする心には、不平や不満の入ってくる隙《すき》ができません。

そう考えると人生は、今よりもずっと豊かな実りあるものになるはずです。

## ◎何ごとも楽しむ方法を考える。

# 九十九パーセント以上は、あなたの知らない世界

**自分よりも知恵のある賢者と会うのは、無常の喜びを与えてくれます。賢者と一緒にいることは、常に楽しいものです。**

賢い人ほど、「学ぶ心」が旺盛です。そして、豊富な知識を持っている人ほど、「もっともっと学びたい」と考えているものです。

ある大学教授は、大変、博識な人物ですが、「まだまだ学ぶべきことがたくさんある」「その知識は、私の専門外のことなので、ぜひ、教えを授けていただきえませんか」というのが口グセです。

彼に言わせれば、この世は未解明のことで溢れていて、人間が発見したことなんて、この世の一パーセントにも満たないそうです。

ですから彼は、自分の専門外のことも、興味を持って学びます。

ちなみに、今、彼がこっているのは、奥さんに「料理」を習うことです。これまで彼は、家事を奥さん任せにしていたので、卵焼きのつくり方一つ知らなかったのです。でも、学習意欲の旺盛な彼なら、すぐに一流シェフ並みの味をマスターしてしまうかもしれません。

このように、自分の知らない分野の知識を教えてもらうのは、とても楽しい経験なのです。

そして、自分の知らないことを知る人とすごすのも、楽しいものです。謙虚に学ばせてもらうという気持ちがあれば、きっといい関係が築けるでしょう。

**「自分はすでに知識も実力もあるから、学ぶ必要はない」と思った時点で、人の成長は止まります。**いくつになっても学び続ける人は、人間的にも魅力的でいられるのです。

## ◎賢者に学ばせてもらいにいく。

# 「向き・不向き」にこだわるのをやめると、世界が広がります

**やっていて「楽しい」と思えることを、続けていきなさい。楽しいと思えることが、あなたの「進むべき道」となります。**

あなたは、心から楽しんで打ち込めるものが、ありますか？

人は、「楽しくて夢中になれること」であれば、多少の困難があっても、忍耐強く乗り越えていけるものです。しかし、楽しいと思えないことならば、ちょっとでもイヤなことがあれば、すぐに「もうやめた」となるのです。

ですから、**やっていて楽しいと感じられるものを発見できるかどうかは、人生では重要な問題です。**

まだ、楽しいものが見つかっていない、毎日がつまらないという人も、これから見つければいいのです。

それには、次の二つのことを念頭に置いておきましょう。

**①何を楽しいと思うかは、実際にやってみないとわからない。**

「うまくできるかどうか」「向いているか」などと気にしないで、挑戦することです。

**②若いうちに、チャレンジするほうが、選択肢が多い。**

少々下手でも楽しんでやれたのなら、十分自分に向いている可能性があります。

それまで興味のなかった分野や、普段の自分なら絶対にやらないだろうな、と思うことに挑戦してみるのもおすすめです。もしかしたら、思いがけない才能が発見できるかもしれません。

そうして楽しめるものが見つかったら、あとは、まっしぐらにその道を突き進んでいくだけです。楽しみながらやり続けたことが「道」となります。

◎**自分の「進むべき道」を見つける。**

# ムカッとくる一言には、この対処法

**この世には、誰からも非難されない人などいません。**
**黙っていても非難され、**
**多くを語っても非難され、**
**少し語っても非難されるものです。**

何を言っても、何をやっても非難する人は、でてきます。
たとえば、会社の会議で黙って聞き役に回っていると「自分の意見はないのか。積極性が足りないんじゃないか」と非難され、自分の意見を主張すれば「もっと簡潔にまとめられないのか」と非難されます。

それではと、簡潔にまとめて説明すると「もっと詳しく説明しろ」とまた、非難されます。

いったい、どうすれば非難されずにすむのか？　途方に暮れる人もいるでしょう。

しかし、非難されずにすむ方法などありません。

ですから「どうすれば非難されずにすむか」と考えるのではなく、**「何をやっても、『ダメ』だと非難する人はいるもの」と心得て生きるほうが、賢い**のです。

そして、「ダメだ」と非難されたときに、心を落ち着かせる「気分転換法」を用意しておくのです。

ムシャクシャした気分を晴らす、いい方法を一つ紹介します。

それは、大切な人の笑顔を思い浮かべることです。

それで目の前の問題が解決するわけではありませんが、気がラクになります。

気持ちの切り替えが上手にできれば、いつまでも、悪い気分に振り回されることもありません。

**◎「誰でも非難はされるもの」と心得て生きる。**

# 思いどおりにならないことに、なぜ「ありがとう」と言う?

**思いどおりにならないことに、不満を言うのは、愚かです。**
**思いどおりにならないことを、謙虚に喜びなさい。**

あるカップルが、旅行の計画を立てていました。

ところが、彼は中国へ行きたいと言い、彼女はアメリカへ行きたいと言って採《も》めた結果、行き先が決まらず計画が中止になりそうになりました。

でも、一緒に楽しく旅行するという本来の目的さえ忘れなければ、自分の希望に意固地にならずに折れるとか、ぜんぜん候補になかったほかの国へ行くことで、想定外のものすごく楽しい経験ができるかもしれません。

「上司は無能だし、同僚たちも当てにならない。仕事がうまくいかないのもしかたがない」とグチを言う人がいたら、その人自身が、無能で当てにならないことを証明しているようなものです。

できる人は、思いどおりにならない事態を目の前にしたら、「誰も当てにできないから、自分が頑張って仕事をしよう。そうすれば、自分の仕事力も高まる」と、前向きに受け止め、自分を成長させる絶好のチャンスに変えます。

何ごとも自分の思いどおりになったら、この世で学ぶべきことは、なくなります。

**思いどおりにならないから、人は学べるのです。**

そして、世の中には、思いどおりにならない経験からしか、学べないことがたくさんあるのです。

## ◎思いどおりにならない状況を、喜び、学ぶ。

# 驚くほど、人の心にあっさり入り込めるワザ

**謙虚な気持ちで、相手と向かい合いなさい。相手は心を開き、真実を話します。**

インタビューの名人と言われた、政治評論家がいました。

彼のインタビューを受けると、不思議なことに政治家は、ついホンネをぽろりともらしてしまいます。

なぜ彼は、堅く閉ざした相手の心を開かせることができたのでしょう？

質問が上手かったから？

巧みな話術で相手をすっかり信用させてしまうから？

いいえ。どちらも違いました。彼が心がけていたのはただ一つ――「聞き役に徹すること」だったのです。

相手の言葉をまるごと受け止めて、頭ごなしに否定したり非難したりしないで、彼は、決して相手の話をさえぎることなく、雑談にも熱心に耳を傾けました。

**相手が気持ちよく話しを続けられるように心を砕いたのです。**

相手を立て、学ばせていただくという彼の謙虚な姿勢は、口の重い政治家に、「この人になら、非難されないだろう」という安心感を与え、警戒心を解かせることに成功していました。

賢者ほど、人に謙虚に接します。

有能であることをアピールしたり、実力や人脈があることを匂わせたりすることが、必ずしも信頼につながるわけではないことを知っています。

ただ話を聞いてくれる。

相手の心を本当の意味で開かせるのは、損得にまったく関係のない、そんな単純なことだったりするのです。

**◎謙虚に相手と向かい合う。**

# 〝謙虚さ〟があれば、世界は、もっと心地よくなります

**賢者は、謙虚に人に接します。**
**慎みある行動、人にやさしい言葉をかけることを、心がけます。**

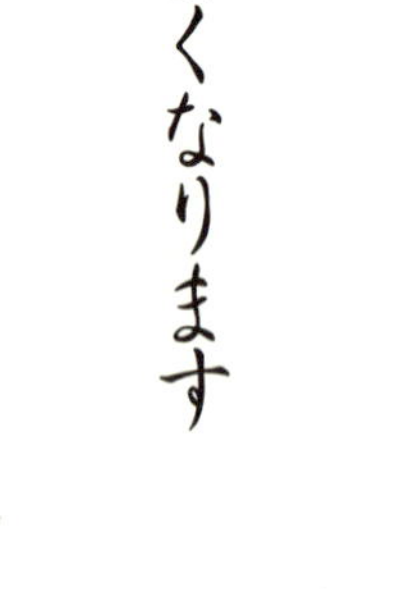

今まで頻繁に連絡をとっていた友人が、急に連絡をよこさなくなりました。
さて、この状況の受け止め方は、人によって、二とおりに分かれます。
あなたはどう受け止めるでしょう？
愚かな人は、「本当は、私のことが嫌いだったんだ。今までさんざん彼女のためにしてあげたのに。いいことばっかり言ってたのも、すべてウソだったんだ。今ごろ私の悪口を言っているかもしれない」と悪い想像をめぐらします。

ですから、その友人との関係も、そこで終わってしまいます。

また連絡がくるようになっても、相手にしません。

そして結果的に、大切な友人を一人失うことになるのです。

賢者は、違います。

「何か困ったことでも起こったのかしら。事故に遭うとか困った事態になってなければいいけれど。自分にできることがあれば、力になりたい」と考えます。

そして、友人に会いに行くなり助けるなりして、さらに友情を深めます。

人は、どんなときでも自分を信じ、気遣ってくれる人を心から信頼します。

**賢者にあるのは、人を信じる心です。**

**愚かな人にあるのは、疑い深さです。**

ですから、愚かな人は人間関係が長続きしません。

## ◎賢者の行動、言葉、心は慎み深い。

# 音痴も、立派な芸になります！

**恐れてはいけません。**
**どんな状況でも、**
**心おだやかで、恐れることがないから、賢者なのです。**

あなたの苦手なことは、何ですか？
ある男性は、職場の仲間と一度もカラオケに行ったことがありません。
そのため彼は「つき合いが悪い」と言われています。
しかし彼は、つき合いが悪いのではないのです。
音痴で、カラオケが苦手なのです。

「その場に行けば、必ず自分も歌わされる羽目になる。そうなれば音痴がバレて、みんなに笑われる、恥ずかしい」というのが、彼のホンネだったのです。

彼のように、自分ができないことをひた隠しにしたり、恥ずかしく思ったりする必要はありません。下手なら下手なりに、堂々とやってみせればいいのです。

音痴でも胸を張って堂々と歌えば、それは立派な芸になります。

みんなおもしろがってその場は盛りあがり、拍手喝采《かっさい》してくれるはずです。

そもそも、何かが下手だからという理由で、人を指差して笑うような人がいるでしょうか？

頑張っている人をバカにして笑ったりはしないものです。それに、万が一、そんな人がいたなら、つき合わなければいいだけです。

**賢者は、苦手なことも下手なことも、堂々とやってみせます。**あまりに堂々としているので、周囲は「本人は、これが苦手なんだ」と気づかないくらいです。

笑われるかも、バカにされるかも——そんな恐れる気持ちを捨ててしまえば、心はぐっとラクになります。

◎**恥も受けきる。**

# 第9章

# 「気持ちを上手にコントロール」する！

## ——大人は、感情に振り回されません

# 三日坊主にさよなら！
# いくらでも続けられる技術

**人の心は弱いので、ちょっとしたことで揺れ動いてしまいます。すぐに欲に負けます。**
**しかし、知恵ある人は、いつも心をまっすぐな状態にしています。**

ダイエットにジョギング、仕事、習いごと……何をやっても三日坊主だという人は、「自分は意志が弱い。自分で自分がイヤになります」とよく、言います。

しかし実のところ、「弱い人間」だから長続きしないのではありません。

人の心は、もともと弱いもの。ちょっとした誘惑にすぐに負けてしまうのは、誰の心であっても同じなのです。

しかし、どんなことも長続きする人は、確かにいます。ただそれは、**心が強いからではなく、飽きっぽい心に打ち勝つ工夫をしているから**です。

その工夫の一つをお教えしましょう。

まず、何かをやると決めたら、最終目標と達成期限を明確に決めます。そして、その道のりを十個くらいに細分して、途中途中に、最終目標達成までの目安となる小目標を立てます。

たとえば、「一カ月で十キロやせる」という最終目標なら、「三日で一キロやせる」という具合に小目標を立てます。

こうして、「今日も目標をクリアできた」という達成感をまめに得られるようにすると、飽きがきません。

次に、小目標を達成するたびに、欲しいものを買うなど、頑張った自分にご褒美をあげると、やる気が持続します。

最後に、サボってしまったとしても自分を責めないことです。「今日はお休み。明日からまた頑張ろう」と前向きに考えます。

◎**飽きさせない工夫をする。**

# 〃感情のあばれ馬〃を制御する三つの心得

**誘惑に負けそうになっても、**
**賢者は、自分の感情を上手にコントロールできます。**
**御者が上手に荒ぶる馬を鎮めるように。**

御者が馬を上手に操縦するように、賢者は、誘惑に打ち勝つ方法を知っています。これができるようになれば、もう、感情に振り回されることはありません。

どうぞ参考にしてみてください。

**①模範となる人を、いつも心の中に置いておく。**

仕事や人間関係がうまくいかなくて気持ちが折れそうなときは、あこがれの先輩や尊敬する歴史上の人物、スポーツ選手など、模範とする人を思い浮かべます。
そして「あの人だって苦難に負けずに頑張っている」と思うことで、自分を励ますことができます。そして誘惑に打ち勝てます。

**②目標を決め、それを達成するための具体的な計画を立てる。**

誘惑に流されて今やるべきことを見失わないよう、事前にきちんと目標とその達成期限を決めておきます。具体的にスケジュールを組み、時間管理すれば、誘惑に負けそうな心もコントロールしやすくなります。

**③例外をもうけない**（決まった習慣を、欠かさずに実行する）。

これは意外と重要です。

「仕事前に、精神集中する」「朝三十分歩く」「寝る前に本を読む」などのよい習慣があるなら、忙しいときも旅行中も、普段どおりやることです。

「今日は、雨だから特別にやらなくていい」といった例外をつくらないことが重要です。「いつもどおり」を演出するのも、気持ちのコントロールに役立ちます。

◎誘惑につけこまれる心の隙をつくらない。

# 一人のときは、〝危ないもの〟に近寄らないのが鉄則

**同行する仲間が少ないとき、**
**商人は山賊がでる危険な山道を避けます。**
**同じように、**
**同行する仲間が少ないときは、悪い誘惑から身を遠ざけるべきです。**

仲間と一緒にいるときは、人は誘惑に惑わされることはありません。

たとえば、オフィスで仕事をしている際中に、「昼寝がしたい」「お酒を飲みたい」「映画を観たい」という誘惑にかられたとしても、決してやらないはずです。

もし実際にやったら、上司に叱られ、同僚に呆《あき》れられ、信頼は地の底へ墜ちる

とわかっているから、自制心が働くわけです。

ですから、どうしても**誘惑に負けそうなときは、できるだけ、誰かと一緒にすごすようにすると、自分にブレーキをかけられるでしょう。**

親しすぎて情けない姿も平気で見せられる相手ではなく、緊張感を保てる相手や、みずからを律することのできる強い精神を持っている相手なら、いいお手本にもなり理想的です。

問題は、一人でいるときです。

一緒にすごしてくれる人が見つからなかったら？

ヤケ酒を飲みたいとか、買い物でストレス発散したいという誘惑に勝つには、「君子危うきに近寄らず」で、レストランやデパートに近づくことを徹底的に避けるのが一番です。「お酒は一杯だけにする」などと堅く誓っていても、一口飲んでしまえば、簡単にタガが緩んでしまうでしょう。

## ◎一人のときは、誘惑されそうなものに近づかない。

# それでも欲望に負けそうになったら、すぐにコレ！

**人の心は、放っておくと、誘惑に負けてしまいます。**
**上手に心をコントロールできる人が、**
**安らかな幸福を手にすることができます。**

ダイエット中にもかかわらず、帰りにデパ地下を通ったところ、新しいケーキ屋さんがオープンしていて、つい買ってしまった。
貯金しようと決めたから、ウインドーショッピングするだけのつもりだったのに、どうしても服が欲しくなってしまって、クレジットカードで買ってしまった。
集中して読書をしようと思っても、テレビの音が聞こえてくると、つい本を放りだしてテレビを見てしまう。

このように、その時々の感情に流されやすい人からは、幸せが遠ざかります。

そもそも、誘惑されそうな場所には、近づかないことが一番ですが、仕方なく誘惑がたくさんある場所に近づくときは、**その先に起こること**をイメージしてみることです。

ケーキを食べすぎてブクブクに太った自分。月末、貯金が底をついて食費もままならない自分。本を読破できずに自己嫌悪している自分。

そんな「ダメな自分」になりたくないという強い思いこそ、甘い誘惑に勝つ力をもたらしてくれます。

また同時に、誘惑に打ち勝ったあとの自分もイメージしてみましょう。

ケーキを我慢してスッキリ美しく痩せた自分。貯金が貯まって、念願のヨーロッパ旅行を楽しんでいる自分。本を読破して、次の本を手にしている自分。

うれしいイメージを描くことで、心もポジティブになり、さらに誘惑をはねのける力が湧いてきます。

**◎誘惑に負けたあと、勝ったあとを想像する。**

# ゾウにも人にも〝一人の時間〟は重要なのです

**一人になって静かに内省する時間を持ちなさい。静かに内省する間に、心身の力がもたらされます。**

動物園の動物たちは、日々たくさんの人に見られているストレスから、病気になることがあるそうです。

ですから時々、来園者の前にだすのをやめて、休ませます。

人も他の動物もいない環境に置きます。

**「誰にも見られない安全な場所」は、生き物にとって、癒しの空間であり、心身の健康を保つのに欠かせません。**

もちろん人も同じです。

職場や学校は、大勢の人が集まる場所であり、しかも上司、ライバル、顧客などの評価にさらされる環境なので、「見られている」という意識から逃れられません。

常に、この「人の視線にさらされている」という意識は、相当な精神的ストレスとなります。そして病気の原因ともなりえます。

いくら職場の雰囲気がよくて人間関係が良好であっても、「見られている」ことによるストレスがたまるのは避けられません。

ですから「一人になれる時間」が大切なのです。

とくに、日中は社交的で、いつも明るく人に接することができる人ほど、家での一人になれる時間を大切にします。

いつもパワー全開で明るく振る舞うことができるのも、一人の時間に心のエネルギーを十分補給しているからなのです。

## ◎一人になって、内省する時間を持つ。

# 〝好き・嫌い〟伝染病に、ご注意

**周りにいる人たちが「うらみの声」をあげているときも、自分だけは、誰もうらむことなく、楽しい思いで心を満たしていなさい。**

心理学の実験で、こんなものがありました。
ある俳優の新作映画を学生たちに観てもらい、映画の感想文を書かせます。
次に、その映画について話し合ってもらいます。
このとき、学生の中に実験のサクラを紛れ込ませ、主演俳優について散々悪口を言わせます。まるで個人的なうらみがあるようなニュアンスで、ののしり、けなします。

さて、この討論会が終わった後、もう一度映画についての感想文を書かせると、最初の感想文では俳優に好感を持っていた学生たちが、討論後は、その俳優についての悪い印象を書き込んだというのです。

人はそれくらい、他人の感情や意見に影響を受けやすいものです。

「うらみ」「嫌悪」といったネガティブな感情は、とくにそうです。

他人の悪口を聞くと、それまで何とも思っていなかった人でも、同調して、「私もあの人は、嫌いだ」などと言ってしまうことがあります。

しかし、**賢者は噂話にも悪口にも惑わされません。**

仮に、みんなが「あの人は、悪い人だ」と言っても、自分がその人を親切な人だと思えば、堂々と親交を深めます。

## ◎他人の、ネガティブな感情に巻き込まれない。

# 深層心理が教えてくれる、あなたの改善点

**「恥ずかしい」という気持ちを持つのは、貴重なことです。カラスのように厚かましく図々しい人は、みにくいものです。**

「恥ずかしい」と思う気持ちは、成長を促す大切な感情です。
言い換えるなら、「恥」を感じられない人は、向上する〝余裕〟がありません。
「三十歳にもなって、こんな簡単な仕事もできないのは恥ずかしい」と思う気持ちが、「仕事を怠けたい」という誘惑に打ち勝つ原動力になります。
「料理一つまともにつくれなくて恥ずかしい」という気持ちがあれば、自主的に料理の勉強をするようになるでしょう。

「心の狭い人間だなんて思われたら、恥ずかしい」と思えば、人にやさしくしたり、相談ごとにも親身に乗ってあげたりできるようになるはずです。

**「恥ずかしい」という思いには、人を向上させる力があるのです。**

カラスには、恥ずかしいという気持ちがありません。

ゴミ置き場を荒らしても、恥ずかしいとは思いません。

弱い動物を襲っても、恥ずかしいとは思いません。

うるさく泣きわめいても、恥ずかしいとは思いません。

ですから、嫌われてしまうのです。

「他人からどう思われようと、関係ない」と開き直って、恥も外聞もないような行動を繰り返すのは、カラスのように愚かな人です。

恥ずかしいと思ったとき、それはあなたが「こうありたい」と願う理想の自分に近づくために、努力すべきポイントを、深層心理が教えてくれているのです。

**◎「恥じる気持ち」を大切にする。**

# 「本当にやりたいこと」が見つかる〝自分ノート〟のすすめ

**周りの人たちがみな、欲張りだったとしても、自分だけは、欲の張り合いに巻き込まれてはいけません。**

大人になるとは、どういうことでしょう？

二十歳になる、仕事に就く……それも一条件ですが、もっと本質的なことは、**自分なりの「価値観」を持つこと**でしょう。

自分の価値観のない幼稚な人は、「今、このブランドが大人気」と聞けば、それが欲しくなります。友人が留学すると聞けば、自分も留学してみたくなります。

つまり、友だちがアイスクリームを食べているのを見て、自分も食べたいと騒ぐ子どもと同じなのです。

しかし、そんなふうに他人の後を追っていても、本当に満足できる幸せは、得られません。時間も労力もムダにするだけ。自分の価値観で本当にやりたいことを見つけ、それを追い求めることでしか、自分自身の幸せは得られないのです。

では、「本当に自分がしたいこと」は何でしょうか？

それを見つけるためには、「自分ノート」を作ることをおすすめします。

**①五年後の自分、十年後の自分を箇条書きにする。**
**②自分が思う「自分の性格」を、思いつくまま書く。**
**③「自分の長所」を書く。**
**④人からほめられた点を書く。**
**⑤今までに、心からうれしく思ったことを書く。**

数日から数週間、集中してこのノートを書くと、ある日ふと、やりたいことが具体的に見えてきます。見えたら、他人の言動に気持ちを揺さぶられることはなくなります。

## ◎自分なりの価値観を、持つ。

# 第10章

# 「賢い人、愚かな人」

## ——そのちょっとした違い

# 最高の結果をだすヒントは、常に〝目の前〟にある

**賢者は、成すべきことに集中します。**
**愚かな人は、結果ばかりを気にしています。**

こんな、たとえ話があります。
農家の人が、畑を耕していました。
季節は夏、風もなく、とても暑い日です。
見渡すと、遠くの空に白い雲が浮かんでいます。
「あの雲が、早くこちらへこないだろうか。雲の陰ができて涼しくなるのに」
そう思うと、雲がくるのが待ち遠しくてたまりません。

しかし、ゆっくりとしか動かない雲にお百姓さんはイライラしてきて、畑仕事どころではなくなりました。クワを投げだし、雲ばかり見つめていたのです。そのため、すっかり仕事が遅れてしまいました。雲がやってきても、陰で一休みすることができませんでした。

もう一人のお百姓さんは、畑仕事に打ち込んでいました。無心の境地で作業しています。時間はあっという間にすぎ、気づくと白い雲が涼しい日陰をつくってくれていました。その人は手を休め、ゆっくり休息できました。

愚かな人は、自分が今、成すべきことを放りだして、先のことばかり気にしています。

しかし賢者は、結果を気にするよりも、「目の前の、今やるべきこと」に集中するのです。**「結果は後からついてくる」というのが、賢者の考え方です。**

結果は、今この瞬間の積み重ねです。

今を懸命に生きることが、過去も未来もよくするのです。

**◎今に、集中する。**

# 劇的に学習スピードが速くなる、一番簡単な方法

**賢者から多くのことを学びとることができるのは、その人が賢い証です。愚かな人は、賢者とどれだけ長い間、一緒にいても、何も学びとることがありません。**

賢者は、人の話をよく聞きます。

「学ばせてもらいたい」という意欲が旺盛なのです。

ですから賢者は、よくメモをとりながら、人の話を聞いています。

メモをとると、相手の話がより深く理解できます。手を動かせば、しっかりと記憶もされます。また、メモをとる姿は相手に「あなたの話をちゃんと聞いてい

る」とアピールするので、好印象を与えます。好印象を与えて、いい情報も入手できるのですから、一挙両得です。

人から学ぶための賢者の心得を、四つあげておきます。

**①質問上手、聞き上手になる。**

**②人が成功していることは、自分でも試してみる。**

**③えり好みをしないで、人に会う。**

**④自分の専門外の人に、積極的に会う。**

「会う人みな我が師」という言葉がありますが、まさにそのとおりなのです。**生まれつき特別な才能がある人よりも、学ぶことが上手な人のほうが、将来的には、大きく成功するものです。**

その道のプロに教われば、圧倒的に学習時間を短縮でき、収穫も増えます。

しかし、愚かな人は、自分は優れていると自惚《うぬぼ》れて、真剣に学ぼうとしません。

賢者とは、生まれつき才能のある人のことをいうのではありません。学ぶ力が強い人をいうのです。

◎賢い人は、人から多くを学ぶ。

# こんな〝余計なプライド〟は、捨てたほうがラク

**正しいことを「正しい」と見なし、間違っていることを「間違っている」と認められれば、その人は「正しい人生」を生きていけます。**

戦国武将の英雄といえば、織田信長、豊臣秀吉、徳川家康の三者が、時代を動かすキーパーソンであったことは間違いありません。

この中で、最後に天下をとったのは、徳川家康でした。

なぜ家康は、天下取りに成功し、信長、秀吉は、挫折したのでしょうか。

理由の一つとして、三人の「人間性」の違いがいわれています。

家康には、有能な家臣が多くいました。つまり家康は、有能な家臣を大切にしたのです。有能な家臣は、何が正しく何が間違っているか、ズバズバ指摘するものです。ときには、家康の考えに反対する意見も述べました。

しかし家康は、腹を立てずに、正しい意見は積極的にとり入れたといいます。

一方、信長や秀吉は違いました。自分に意見するものは、たとえどんなに有能であろうと、その意見が正しかろうと、退けていました。

その結果、信長は家臣である明智光秀に謀反《むほん》を起こされ、秀吉の周りには無能なイエスマンしかいなくなり、運勢が衰退していきました。

自分が間違っていることを認め、自分より目下の人の反対意見を正しいと認めることは、実は、とても難しいことです。

そのために、恥をかくこともあります。目下の者の言葉に従わざるをえないときもあります。

しかし、**それができるのが、リーダーとしての、度量の大きさです。**

最後に勝つのは、恥をかける人なのです。

**◎恥をかける人が成功する。**

# どうしたら禁煙できるのか？やめられない人の性格とは？

**自分の弱さを知っている人は、賢者です。弱いのに自分は強いと思い込んでいる人は、救いようがありません。**


「自分の弱さを知る」ことも、自分を上手にコントロールするためには大切です。

たばこの値上げや、公共施設などで禁煙ゾーンが増えている社会情勢から、最近、禁煙をはじめる人が増えています。

「タバコをやめられない人」には、ある性格的な特徴があるといわれます。

それは、「強がりな性格」だそうです。

このタイプの人は、「自分は意志が強いから、やめようと思えばいつでもやめられる」と言います。

しかし「やめようと思えば、やめられる」という強がりが、落とし穴なのです。

そう言うばかりで、いつまでも、禁煙をはじめません。

結局は「やめたくても、やめられない」ことの言い訳なのです。

勉強のできない子どもが、「成績をあげようと思えば、いつだってあげられるんだ。ただ自分は、しないだけなんだ」と言って、最後まで勉強しないのと同じです。

**自分の弱さに、謙虚に向き合ってください。**そこが出発点です。

名人と呼ばれるほどの職人さんは、「自分の技術など、まだまだです。自分はまだ修業が足りません」といった言い方をよくします。

そして今日できる努力を精一杯します。

自分の弱さを認められるのは、賢者の証です。

## ◎自分の弱さを知る。

# 〝我慢しないで〟いい結果を手に入れる賢者のルール

**遠ざけねばならないことを、遠ざけない人は、悪い道へと進んでいきます。**

ある企業で、「会議にパソコンを持ち込んではいけない」というルールがつくられました。

実はその会社、それ以前はパソコンの持ち込みを推奨していたのです。

すぐに必要なデータを引っ張りだせますし、時間や紙の節約になるし、メモもとれ、計算もでき、その場でデータ整理もできますから、会議がより効率化すると考えたのです。

ところが実際には、真逆の結果になったのです。

社員たちはパソコン操作に夢中になって集中力がなくなってしまい、意見を求めても、「はっ！　すみません、聞いてませんでした」と言う始末。

そこで、パソコンの持ち込みは禁止となり、会議の場から遠ざけられました。

これは、いい決断でした。

**「遠ざけなければならないことは、きっぱり遠ざける」のが、賢者のモットー**だからです。

人の心は弱いもので、会議に集中しようと決意したところで、外部から刺激を受ければ、すぐにフラフラしてしまいます。

ですから、物理的な距離をとったほうがいいのです。

仕事に集中したいなら、読みたい本や、ゲーム、テレビなど一切合切、手が届かない所に置いては、どうでしょう。

誘惑するものを遠ざければ、苦労せずに、いい結果を手にすることができるのです。

**◎遠ざけなければならないことを、遠ざける。**

# 外出前に、鏡パワーで好感度アップ

**賢者は、だらしないことをしたときには、反省します。愚かな人は、自分がだらしないことをしていることにすら、気づきません。**


「人は見た目よりも、内面が大事」と、ことさら強調する人ほど、自分の身だしなみに無頓着なようです。

ときにはそれが、自分がだらしない格好をしていることへの、言い訳のように聞こえます。**人の品性は、身だしなみにそのまま、あらわれます。**

ですから人は、それとなく相手の身だしなみをチェックしているものです。

身だしなみとは、流行のオシャレな服や高級ブランド服を着るといった、装いの華やかさのことではありません。きちんと整っていること、清潔感があるかどうかです。

ワイシャツに汚れがついていないか、服のボタンがとれていないか。服にシワがないか。靴がほこりをかぶっていないか。

髪を定期的にカットしているか。臭っていないか。

シワくちゃのスーツを平気で着る人は、細かいところまで気をつかえないズボラさを感じさせ、一緒に仕事をして大丈夫なのかという不安感を与えます。

そして一度与えた悪印象を挽回するのは、難しいのです。

ところが愚かな人は、相手が自分に不信感を持ったことにさえ気づきません。人の感情にも、視線にも鈍感なので、反省すらしません。

**でかける前に、全身を鏡に映してみましょう。**

誰に見られても恥ずかしくないと思えたら、胸を張ってでかけましょう。

## ◎身だしなみのだらしなさは、悪業となる。

# 「できない」ことを認めると、さらに成長できます

**実力もないのに、高い地位を求め、権力を得ようとし、人から尊敬を得ることばかり考えるのは、愚かなことです。**

高い山から見る景色は最高です。

でもいくら高い山に登りたいからといって、実力もないのに登ろうとすれば、命を落とす危険があります。

十分な体力、技術、経験がなければ、山に負けてしまいます。

人生も、登山のようなものです。

実力が高まるにつれて、地位や権力も高まっていくという形でなければいけま

せん。**分不相応な地位や権力を求めれば、道を踏み外し、逆に谷底に転がり落ちてしまうこともあるでしょう。**


ところで、「実力」とは、どうすれば測れるのでしょうか？

他人が下す評価が、正しいのでしょうか？

実は、実力を測る方法はありません。

人は日々学び、進化していて、一日も同じ自分ではありません。できることも刻一刻と変わっています。今日できないことが、明日には簡単にこなせるようになることだってあるのです。

まだ学ぶことは、たくさんある。もっと努力したほうがいい――そんな謙虚さを持ち続けていれば、「自分なら何でもできる」と過信することはないでしょう。

愚かな人は、自分を過信し、状況を甘く判断します。そして大ケガするのです。

「ちょっと頑張れば何とかなるレベル」から、少しずつレベルをあげていくことで、高い山も、確実に制覇できるようになるでしょう。

## ◎自分を過信しない。

# この〝沈黙〟が、あの人の心を開く

**何も語らないからといって、無知で愚かなわけではありません。深い考えゆえに、その点については沈黙を守っている人もいるのです。**

「あえて言わない」という選択肢を持てる人は、賢い人です。

たとえば、新しい掃除機を買って喜んでいる人に、「もう買っちゃったの？　それ、新しいモデルが一週間後にでるらしいよ」などと言ってしまったら、せっかくのうれしい気持ちに水を差すだけです。

その情報を知ったところで、新しいものにとり替えられないのであれば、知らせないほうがよかったでしょう。

相手は、いずれその情報を知るかもしれませんが、今このタイミングで知らせる必要はないと思います。

「よかったね。使い勝手はいい？」と、笑顔で聞いてあげたほうが、きっとお互いに楽しい時間をすごせます。

恋人が仕事で悩んでいるとき、「相談に乗るよ」と根掘り葉掘り話を聞きだすより、ただそばにいて世間話でもしながらゆったり時間をすごしたり、おいしい手料理を振る舞ったり、公園に散歩に誘ったり、何気なく気づかってあげるほうが、ずっと相手の心を癒してあげられる場合もあります。

**相手が聞かれたくないことには、触れないようにすると、人間関係は円滑になります。**

もちろん、今注意しておかないと、相手にとって将来的によくないと思うことなら、厳しいことを伝える勇気も大切です。その取捨選択が的確にできることが、賢者の証なのです。

## ◎言わなくていいことは、言わない。

# 幸せになる人が、絶対にやらない三つの悪業

**人間として恥ずかしいことを、恥ずかしいと思わずに行なう人は、地獄へ墜ちます。**

だます。
盗む。
人を傷つける。
この三つは、信頼を地に墜とす悪業です。
悪い行ないをすれば、必ずその報いを受けることになります。
逆に、幸運を得るには、先の三つとは、逆の行為をすればいいのです。

**真実を話す。**
**人に与える。**
**人を守る。**

「真実を語る」人は信頼されます。ある社長が言うには、「信頼できる部下」とは、悪い情報も含め、起こっていることを正直に報告する部下だそうです。

何かを「与える」という行為は、相手に好意があるということを、わかりやすく伝えます。大切な人にはプレゼントを、仕事で力になりたい相手には有益な情報を、親切にしてくれた人には、心からの感謝の言葉を惜しみなく伝えます。

「人を守る」ことも、信頼感を得る方法です。たとえば、仕事で問題が起こっても、上司がフォローしてくれるという安心感があれば、部下の働きぶりは俄然よくなります。そういう職場は業績も順調です。人を守るということは、それくらい強い心の結びつきを生むのです。

**◎だまさない、盗まない、人を傷つけない。**

【参考文献】
『ブッダの真理のことば・感興のことば』（中村元・岩波文庫）
『法句経』（友松圓諦・講談社学術文庫）
『原訳「法句経」一日一悟』（A・スマナサーラ・佼成出版社）

本書は、本文庫のために書き下ろされたものです。

# 「いいこと」がいっぱい起《お》こる!
# ブッダの言《こと》葉《ば》

著者　植西 聰（うえにし・あきら）
発行者　押鐘太陽
発行所　株式会社三笠書房
〒102-0072 東京都千代田区飯田橋3-3-1
電話　03-5226-5734（営業部）03-5226-5731（編集部）
http://www.mikasashobo.co.jp
印刷　誠宏印刷
製本　宮田製本

 ISBN978-4-8379-6580-0 C0130


＊落丁・乱丁本は当社営業部宛にお送りください。お取替えいたします。
＊定価・発行日はカバーに表示してあります。

王様文庫

王様文庫　大人気！　植西 聰の本

## 1秒で「心が強くなる」言葉の心理術

内側から、すごい自信が！　行動力が！　ストレスのたまらない人が〝よく使う言葉〟は、とても意外なものでした。楽しくって、ノリのいい性格に変わる言葉、ゆるぎない「自信」がつく言葉……自分を、未来を、明るく変えたいあなたに、〝言葉のプレゼント〟

## みるみる運がよくなる本スペシャル

運がいい人の「考え方・行動力・話し方・人づき合い・暮らしのコツ」まとめて一気に紹介。特別な才能があるわけでもなくて、見た目も性格も、ふつうの人。なのにいつも〝いいこと〟ばかり起こるのはなぜ？　決め手は、どれだけ、この習慣を実行したか！

## 「いいこと」がいっぱい起こる！　自分を磨く100の習慣

HAPPYをかなえる秘訣、もりだくさん！　理想の自分になるために……運のいい人は、ここまでやっているのです。休日は、何をしているの？　ズバリ、開運の秘訣は？　生き方も、考え方も素敵に変える、今日から私にもできること。きっとみつかる、みるみる自信がつくヒント！

## 話し方を変えると「いいこと」がいっぱい起こる！

見た目、性格よりも、話し方が大事。言葉は、心の状態、考え方を切り替えるスイッチです。幸せな人は〝幸せになる言葉〟を、美しい人は〝美しくなる言葉〟をつかっているのです。「いい言葉」は、夢のようなビッグな幸運をおもしろいほど引きよせます！

K40067